MARIE-CLAIRE BLAIS

Marie-Claire Blais est née à Québec, d'une famille ouvrière, le 5 octobre 1939. Après des études classiques et commerciales, elle occupe divers emplois puis rencontre le Père Georges-Henri Léves- que, grâce à qui elle publiera son premier roman en 1959. Bour- sière du Conseil des Arts du Canada et de la Fondation Guggen- heim, protégée du grand critique américain Edmund Wilson, elle passe plusieurs années à l'étranger: Paris, Cape Cod, Bretagne. Une saison dans la vie d'Emmanuel (prix Médicis 1966: collection "Québec 10/10" n° 18) la propulse aux premiers rangs des écri- vains québécois contemporains et lui assure une renommée interna- tionale. Elle vit aujourd'hui à Montréal, où elle poursuit une œuvre qui compte déjà quatorze romans, deux recueils de poèmes et de nombreux écrits pour le théâtre.

VIVRE! VIVRE!

Née au milieu d'une tempête d'hiver qui pour son père l'a rendue mauvaise à jamais, Pauline Archange a laissé derrière elle, au sortir de l'enfance, son innocence morte en même temps que son amie de cœur, Séraphine Lehout. A peine adolescente, Pauline doit travail- ler, mais elle doit surtout affronter sa famille pour affirmer son droit à la vie et à cette passion de l'écriture qu'elle sent naître en elle, pendant que la misère continue de l'entourer et qu'elle fait peu à peu l'apprentissage d'une pitié difficile et pourtant nécessaire.

Second volet de la trilogie commencée dans les *Manuscrits de Pauline Archange* (collection "Québec 10/10" n° 27), *Vivre! Vivre!* est le récit de la formation à la fois spirituelle et littéraire de Pauline, qui se découvre elle-même par ses rencontres avec des êtres en qui elle se projette et dont elle se démarque à la fois: Benjamin Robert, le prêtre à la charité déraisonnable, Romaine Petit-Page, la poétesse-fée, Julien Laforêt, Socrate de treize ans, ou Michelle Bellemort, la petite fille riche amoureuse d'un fils de menuisier...

Vivre! Vivre! a été publié pour la première fois en 1969 et traduit en anglais peu après. La trilogie de Pauline Archange s'achèvera dans *Les Apparences* (collection "Québec 10/10" n° 29).

Marie-Claire Blais

Manuscrits de Pauline Archange

**

VIVRE! VIVRE!

Marie-Claire Blais

Manuscrits de Pauline Archange

* *

VIVRE! VIVRE!

Stanké

Montréal - Paris

roman

Les personnages de ce livre sont fictifs.

Collection ''QUÉBEC 10/10''
publiée sous la direction de François Ricard
avec la collaboration d'Annie Creton

Maquette: François Olivier

ISBN: 2-7604-0119-7
Dépôt légal: 1er trimestre 1981

A Jacques Vallée

CHAPITRE PREMIER

Nos possessions sont là, debout ou couchées dans le désordre d'un camion ouvert qui nous emporte vers la paroisse voisine et, inclinant la tête entre le poêle et la planche à laver, ma mère ressemble elle aussi à l'un de ces objets lourds et usés parmi lesquels elle est assise, une main sur les genoux, livrant sans le savoir aux regards des voisins, le dénuement de son corps et de l'enfant qu'elle porte sous un ample vêtement qui l'habille deux fois de ses tiges prisonnières. L'air est pur, mais autour de nous flotte la présence d'une oppression cachée qui se déplace avec nous partout où nous allons, car si nous sortons, comme dans un rêve, d'un tunnel de maisons grises au fond duquel s'agitent les mains de mes amis et l'ombre des visages, la distance qui nous sépare de notre nouvelle paroisse est encore trop brève pour envelopper de brume mes souvenirs et mes erreurs, et il me semble qu'un paysage aussi familier se dresse pour nous un peu plus loin, transformant à peine une famille humaine privée pour moi de tout mystère... Pourtant, lorsque nous passons devant la maison des Poire, je feins de ne pas reconnaître Julia qui me sourit de son lit, ses maigres bras accrochés aux barreaux de la fenêtre. Si mon cœur se ferme soudain aux malheurs d'autrui, c'est bien en vain, car mon œil, lui, ne peut rien oublier. A mesure que nous avançons sous les arbres dépouillés de l'automne, je revois des personnages que je croyais avoir oubliés. Je ne les ai aperçus qu'une seule fois, appliquant leur visage, écrasant leur bouche contre le carré vaporeux d'une fenêtre, d'une porte, par les soirs d'hiver où la pauvreté elle-même se croit invisible, tapie contre ses murs sans chaleur, ouvrant soudain dans la nuit, à travers une vitre fleurie de neige, des yeux magnifiques qui brillent seuls au-dessus d'une ligne de blancheur, laissant dans l'ombre le dessin d'une joue émaciée, comme si, à ces entrées souterraines où mon regard descendait pour rencontrer une femme jetant le pain à ses enfants, sur le plancher de terre, il devait remonter aussitôt vers la consolation de ces beaux yeux suspendus à la fenêtre. Les yeux, les paupières, les mains de ces êtres que mon regard avait touchés tant de fois, fondant en eux pour saisir leurs pensées intimes, comment pouvais-je m'en séparer maintenant qu'ils devenaient pour moi les yeux, les mains de créatures volées en secret pour mieux vivre d'elles ?

Avec la même ardeur, j'écoutais les récits de mon père, croyant posséder un jour, à travers mon langage propre, cette immense tempête que soulevaient les paroles de mon père lorsqu'il me racontait pour la centième fois, avec les mêmes mots simples « la féroce tempête du jour de Noël au temps où t'étais encore dans le sein de ta mère », récit qui semblait refléter, dans un passé lointain, un peu de la fureur désolée que j'éprouvais dans le présent.

— C'était une belle nuit, toute tranquille, on revenait tous en carriole de chez ton grand-père, on avait eu une belle messe de minuit, c'était comme si rien bougeait sur la terre, pas un arbre, pas un morceau de neige, y faisait si froid et si tranquille qu'on retenait son souffle, même ton oncle Marius osait pas boire de boisson, y serrait sa bouteille entre ses genoux pour pas succomber, ta mère était calée dans sa couverture comme une momie, et ben tu pourrais pas me croire, mais tout à coup, en pleine nuit étoilée, le vent s'est levé comme un seul homme tout bouillant d'énergie, on n'avait jamais vu un vent comme ça en trente ans, des arbres tordus, d'la neige partout qui crépitait, on avait la face toute mouillée, j'tenais les brides du cheval qui avait une peur bleue, la neige tombait par grosses nappes sur la route, pendant des heures, ça tombait de tout côté, une neige méchante pleine de vengeance, c'est p'têtre pourquoi t'es si méchante, la Pauline, c'est comme si la méchanceté était entrée dans l'sein de ta mère cette nuit-là, parce que ta mère gémissait, on allait d'un côté pis de l'autre de la route comme un bateau dans l'orage, et c'était question de vie ou de mort, alors on disait nos prières, c'est là que ton oncle Marius a succombé et que j'l'ai vu debout comme un démon dans son manteau de chat, qui buvait tout le feu de sa bouteille, on avait tous le cœur triste à fendre, mais lui, ton oncle Marius, l'v'là qui riait et chantait, gai comme un capitaine, au bout de quatre heures de litanie à la Sainte Vierge, la neige tombait toujours et on s'en allait de plus en plus profond, c'était plus une route, c'était un grand champ de perdition, malheur, y avait plus qu'à se laisser glisser, le cheval étouffait, nous autres aussi, pis la carriole s'est mise à tourner dans un bruit d'enfer et le cheval est parti au galop pis s'est arrêté net, les deux pattes cassées par la neige, on a roulé dans le fossé, toute la bande et l'ivrogne avec, qui riait toujours, le damné, y a eu une minute de silence, on se pensait mort, mais non, y va pas naître normal c't enfant-là, pleurait ta mère, elle avait

15

donc raison, c'est à cause de la tempête que t'es si mauvaise, on est resté comme ça dans la neige jusqu'au ventre, appelant au secours comme des malheureux, personne qui passait, personne, rien que la nuit noire autour, on pouvait pas bouger une jambe, ça commençait à geler dans les veines, comme si la mort venait, ton oncle Marius et ta mère ont pu en sortir, tout à coup, comme par un cadeau du ciel, y ont essayé de m'aider, mais je m'enfonçais à mesure, c'était de la vraie colle, cette neige-là, et à mesure que je faisais des efforts pour bouger, mon cœur tirait y tirait comme un charriau, y craquait un peu, pis tout à coup, silence, c'était comme si j'étais mort au bout de ma corde, l'bon Dieu a permis que l'maire du village passe tout à coup, gros et fort et fringant comme y était, à grands coups de pelle dans la neige y m'a aidé à sortir du trou, mais depuis ce jour-là, on dirait que mon cœur tire, c'est comme quand on a un cœur fini, comme un vieux cheval qu'on devrait abattre...

A la fin du récit, lorsque mon père se touchait la poitrine, j'éprouvais la même fébrilité douloureuse dans mon cœur. Mais ce qui me faisait mal, cette fois, c'était le goût du bonheur auquel je craignais de succomber. Je me faisais à moi-même le récit d'une tempête où je me séparais de mes parents sans tristesse : « Il y avait longtemps que j'étais plus dans le sein de ma mère, je m'en allais toute seule dans la nuit, il neigeait si fort qu'on aurait dit des soucoupes, personne ne tenait ma main, la neige était profonde mais je n'avais peur de rien, quand je passais devant la maison de mes amis, je voyais que tout le monde réveillonnait à la dinde et que les arbres de Noël brillaient au fond des maisons, Julia Poire mangeait avec appétit, Séraphine était là aussi qui mangeait à côté de son petit frère, et on entendait l'orgue de l'église et les grelots des voitures sur la route, c'était comme si mon cœur battait avec de la musique au bout de sa corde... » J'avais toutefois l'impression de trahir mon père en écrivant ce récit. Lorsque mon père me regardait dans les yeux en disant « que je menais une double vie », sans doute parlait-il de ces infinies variations d'un monde secret auquel je ne pouvais accéder que par la voie de la trahison ? Chacun de mes gestes, entre mes parents et moi, semblait créer un éloignement, une distance cruelle dont je me sentais le maître. Si ma mère me parlait plus doucement, pour toucher mon cœur, je répondais par un haussement d'épaules, un mouvement sec de la tête qui était déjà une absence. Ainsi dévorée par l'orgueil, je comprenais pourtant tout le mal que je faisais aux autres, mais lorsqu'une rupture est éclose, comment en contenir la douleur ? J'avais déjà connu la tendresse auprès de Séraphine, de Sébastien, de Jacob, mais devant des obligations d'aimer que je n'avais pas choisies, je me retirais aussitôt. Mon père ne sut jamais qu'une caresse ne se demande pas, mais qu'on la reçoit ou ne la reçoit pas, un jour, sans l'avoir attendue, d'une main discrète qui vous effleure rapidement dans le don qu'elle fait du moment inespéré de l'approche. Mon irritation croissait à mesure que j'observais mon père, son attente toujours déçue, car à travers son étreinte avide qui ne rencontrait souvent que des ombres de nous (ma mère, comme moi, pouvait se pencher avec sévérité sur une demande d'affection). je reconnaissais une race suppliante d'êtres à son image qu'aucun amour ne désaltère, puisque leurs exigences se renouvellent sans cesse, ne vous laissant jamais le repos, le silence, dont on a aussi besoin quand on aime. J'éprouvais aussi combien j'avais pitié de mon père, et cette pitié un peu triste, capable d'amour, en secret, était peut-être un lien fidèle entre nous qui étions si séparés autrement.

—Perds pas de temps, rêvasse pas comme ça, Pauline Archange, fais tes devoirs, si tu penses que je vais t'envoyer à l'école toute ta vie, tu te trompes...

Mais la tête penchée sur mon cahier, je pensais encore à la tempête, aux soirs d'autrefois où il neigeait si fort sur Séraphine et moi que nous devions chercher refuge dans les salons mortuaires de la ville : « Au bout de la rue blanche, sous le gros filet de neige qui nous mouillait le nez, on voyait tout à coup, dans une lumière rouge, une couronne de fleurs sur une porte, on savait qu'un mort vivait là derrière la porte, avec ses parents autour de lui, et que ça sentait bon et qu'il faisait chaud. » Mais si une religieuse accompagnait toute la classe, si on nous mettait en rangs pour réciter le chapelet, le sortilège délicat qui nous avait sauvées de la tempête de neige pour nous inviter un instant au sommeil d'un mort, ce charme était brusquement interrompu par un coup de claquoir, tout près de notre oreille, par le bruit de nos genoux tombant sur le prie-Dieu, et le mort lui-même semblait s'enfoncer plus hostilement au fond de son oreiller de dentelles, rapprochant de plus en plus de nos yeux affolés par les lueurs des chandelles, un profil de cire qui ne lui appartenait plus déjà, une bouche amère dont le dessin de deux lèvres vertes semblait avoir été tracé au couteau, puisque l'on pouvait sentir, derrière ces lèvres transparentes et immobiles, un ancien sourire qui persistait encore. « Pour ça, il était bien embaumé », disait Séraphine, l'œil brillant. « T'as remarqué comme y serrait ses mains l'une contre l'autre en disant sa

prière ? On lui avait mis un bel habit, mais
ça n'avait pas l'air de lui faire plaisir. »

— Tais-toi donc, Séraphine Lehout, t'es
rien qu'une bavardeuse. On parle pas quand
on voit les morts. On regarde, mais on parle
pas.

Des familles inconnues nous accueillaient
avec bonté, un père, une fille sortaient pieu-
sement de l'ombre pour nous serrer la main.
« Un de plus que le Bon Dieu a rappelé à Lui,
ah ! c'est ben triste... » disaient-ils tout bas,
reniflant leurs larmes ou les laissant simplement couler sur leurs joues luisantes, sur le
drap noir de leurs vêtements, pendant que
montaient en nous la même contagion du
chagrin et la jalousie de n'être pas celui que
l'on regrettait avec un tel abandon ! D'autres recevaient nos condoléances comme des
félicitations, ils nous broyaient les doigts
d'un air rêveur, songeant à leur délivrance
prochaine, épiant le mort du coin de l'œil,
car bien que la tyrannie fût vaincue, couchée
dans un cercueil, celui ou celle qui les avait
fait souffrir toute une vie leur semblait encore redoutable à l'heure du repos éternel.

Nous allions ainsi, avec des parentés étrangères, de la messe au cimetière, assistant à une débâcle d'émotions, de secrets brusquement confiés parmi les sanglots au mort que l'on mettait en terre, surprenant la douleur de la séparation partout où elle passait, sur les visages nus, au creux des nuques lourdement inclinées, éprouvant soudain dans nos corps fragiles l'excitation d'une grande angoisse au bord du dégoût. « Il y avait un trou et un homme dedans, quand la terre commençait à pleuvoir dessus, c'était trop triste, Séraphine et moi on voulait toujours partir... »

Lorsque mon père devenait impatient de me voir écrire au bout de la table, il me reprochait « de remplir trop vite des cahiers qui coûtent dix cents chacun, comme si on avait seulement ça à faire dans la vie, payer ton encre et ton papier... » puis il me poussait vers ma chambre avec un balai « pour nettoyer ton étable».

— Et caresse pas le plancher, les yeux au ciel comme sainte Cécile sur son piano, moi à ton âge j'travaillais, j'récoltais les choux et les patates, pis mon père a dit : « Va-t-en travailler en ville, et j'l'ai fait, et nous autres, les habitants, quand on travaillait en ville, on était comme des poussières, les patrons nous marchaient sur le dos, ils disaient qu'on puait et qu'on avait des poux, l'honneur, la fierté d'un homme c'est quelque chose que personne comprenait dans c'temps-là, quand on rentrait à l'usine c'était comme descendre au fond des mines, on en sortait chaque soir affamé et grelottant, quatre piastres par semaine et dire qu'on était content, on était ti bêtes, on laissait tout le monde nous abuser ... »

« Non, pensais-je en poussant de mon balai les couches dorées de la poussière dans les rayons du soleil, moi, on va pas me manger la laine sur le dos, personne ne va m'humilier comme ça ... » Mais je travaillais à mon tour pendant les vacances et les jours de congé. A l'heure où « le marchand de glace pour les glacières » passait dans notre rue, mon père venait s'asseoir près de mon lit en attendant mon réveil, et voyant que je refusais d'ouvrir les yeux, il me jetait mes vêtements à la figure. Puis nous mangions en silence l'un près de l'autre (en compagnie de ma mère qui se levait parfois « juste pour démêler mes tresses de coton »), nous descendions vers la rue, tout engourdis de sommeil, nous séparant bien souvent sans avoir prononcé une parole.

Je suivais, comme en rêve, la clochette suspendue à la voiture du laitier, l'épaisse silhouette d'un cheval gris taché de noir coupait soudain un mur de brume au bout de la ruelle, et je regardais le soleil se lever lentement derrière la noirceur des maisons. Mais ce n'est qu'au bruit du premier tramway glissant sur les rails que je me réveillais complètement. Les vendeurs de journaux venaient vers moi en sifflotant des injures :

— Eh, t'es ben pâlotte la fille, aujourd'hui, tu vends des journaux ou tu dors, décide-toié, baptême !

On ne voyait d'eux qu'un nez sale sous la casquette de toile bleue.

— Vite, dépêche-toié à vendre ta douzaine su'le boulevard, après ça, y faut se garocher aux portes des maisons, mais comme y fait pas chaud à matin, maudit Moïse !

Nous avions à peine le temps de nous voir, ils me quittaient aussitôt « pour aller faire de l'ascenseur dans les magasins toute la journée », nous échangions parfois « des coups de coudes dans les côtes comme des gros gars », ce langage de coups de poings, comme disait ma mère avec stupeur, ce langage devenait aussi le mien parmi les petits marchands de journaux, et lorsque je rentrais le soir, je devais étouffer les blasphèmes fleuris qui couraient à mes lèvres car je ne pouvais regarder Jeannot s'accrocher à ma jupe sans penser : « Toié va-t-en, mon p'tit baptême de frère. »

Nos voix rauques s'abattaient sur les passants dans le silence du matin : « Lisez la *Lune,* cinq cents, la *Lune* M'sieur, pas de livres icitte, dit le député, prenez la pioche, pis retournez à la terre, cinq personnes s'brûlent la cervelle en une nuit, la Lune M'sieur, cinq cents... » J'admirais les vendeurs de journaux qui couraient dès l'aube dans les gares où, une boîte de cirage autour du cou, ils sautaient sur les pieds du premier voyageur qui franchissait d'un air de triomphe l'arche de fumée à la sortie des trains de nuit, vite ils ciraient ses bottes et crachaient dessus, pendant que le voyageur, du haut de sa corpulence, étirait les poils de son manteau de renard ou regardait fixement devant lui la brume dense de son haleine dans le matin froid.

— Tu parles d'un écœurant, y m'a même pas payé !

Mais la belle flamme de l'orgueil s'éteignait vite et le marchand de journaux se souvenait qu'il avait besoin de l'homme riche : le regard qu'il posait à la fin sur le dos du voyageur ressemblait à un sourire de consentement, lien de servitude dont il ne pouvait se défendre puisqu'elle lui était nécessaire pour vivre. Mendiant sans honte, il tendait partout sa main pâle, avançait sur les femmes le profil d'une mâchoire gracieuse mais brutale dont il avait étudié l'expression à la vitrine de la boucherie du coin.

Lorsque Mademoiselle Léonard quittait l'hôpital, tard le soir, elle apercevait soudain à travers sa lassitude ces mendiants précoces dont elle ne pouvait supporter la vue : « Trois sous, M'dame, c'est pour ma mère qui est sourde et muette, sourde comme un pot, Mamzelle ! »

— Vous n'avez pas honte de mendier, s'écriait Mademoiselle Léonard, puis elle ajoutait avec plus de douceur: « Vous avez l'air malade, mon ami, je suis médecin à l'hôpital d'en face, passez donc me voir à mon bureau demain matin, Germaine Léonard, troisième étage ... » Elle s'éloignait de son pas rapide, les épaules légèrement courbées, laissant derrière elle le marchand de journaux surpris et humilié : « Malade, moié, Baptême, jamais, chu fort comme un lion, j'ai des muscles de fer, j'vas être un boxeur, m'dire une chose pareille à moié tu parles d'une bonne femme, et dire qu'je soulève des poids de cent livres chaque matin dans la cave du magasin ... » Puis, distrait par l'ombre d'un chat qui errait parmi les bancs de neige, le marchand de journaux courait derrière l'ombre pour l'attraper et bientôt disparaissait dans la nuit ...

Promenant devant moi mon sac de journaux, le chapeau rabattu sur les yeux « pour mâcher de la gomme en paix », je crachais par terre, moi aussi, et si les yeux de Germaine Léonard se posaient sur moi par hasard, je comprenais vite que pour elle « je faisais partie de la mauvaise bande » et qu'elle me condamnait :

— Voilà donc ce que vous êtes devenue, Pauline Archange ?

— Ouais.

— Une petite fille mal élevée qui insulte les gens ?

— Ouais, et pis j'mâche de la gomme, j'dis aussi des gros mots.

J'avais pourtant rêvé d'une autre rencontre avec Mlle Léonard. Dans l'ardeur que m'avait inspirée sa présence autrefois, à l'école, je lui confierais peut-être « mon désir d'aller à l'école longtemps, je veux écrire un jour le livre de Pauline Archange », mais ce rêve s'évanouissait maintenant car Mlle Léonard répondait à mon air effronté par une grimace de la lèvre inférieure dans laquelle semblait se fixer, comme aux premiers jours où je l'avais connue, cette bouderie cruelle

28

qui me la rendait souvent étrangère. Lorsqu'elle vous jugeait indigne de son amitié, elle reprenait promptement tout ce qu'elle avait donné, se vengeant ainsi en paroles malheureuses dont elle n'avait conscience que quelques jours plus tard, au moment où l'on avait cessé d'en souffrir. Elle s'excusait alors avec maladresse, en m'invitant « à passer un instant dans son bureau » où je croyais pouvoir la voir seule, mais c'est à peine si elle me voyait parmi la foule de ses patients, distribuant des remèdes de tout côté, plongeant un thermomètre agressif sous notre langue, et comme je n'osais pas bouger, en rang avec les autres pour l'examen, mes yeux seuls erraient avec elle dans la salle blanche, cherchant à découvrir ce que nous cachait Mlle Léonard sous les apparences de la bonté. Mais à l'hôpital, Mlle Léonard montrait simplement ce qu'elle était en ce lieu, « un être éperdu de charité », avait dit notre Supérieure, « mais cela ne suffit pas, les athées sont partout des occasions de scandale, il faut les chasser... » Et sans doute était-ce pour affronter ce châtiment de l'ignorance que Mlle Léonard se lançait sur la voie d'une sainteté involontaire, se disant à elle-même chaque jour ce qu'elle avait dit à notre Supérieure en la quittant : « Vous sauverez les âmes... et moi, les corps. » On ne la voyait plus s'abandonner au bras d'un homme, comme autrefois, à la fin du jour, quand Louisette Denis et moi l'attendions après la classe. Elle semblait éprouver trop de tristesse pour pouvoir aimer. Austère et froide, elle avait su acquérir l'autorité masculine dont elle avait besoin dans son travail, et les confrères qui l'avaient aimée autrefois, respectaient trop l'aspect viril de son intelligence pour penser à son corps. La tête penchée sur le côté, elle s'indignait, pendant les réunions médicales du samedi où il n'y avait que des hommes, « de la profonde injustice de notre système social qu'il faut changer », provoquant autour d'elle de vagues interrogations, des inquiétudes sans lendemain. En même temps, commençait autour de Mlle Léonard cette ère d'hostilité qui la ferait vieillir si vite. Dans une ville où l'on ne comprend pas un être qui possède des qualités morales différentes des nôtres, un esprit capable d'embrasser un horizon plus vaste, comment Mlle Léonard parviendrait-elle à franchir nos médiocres épaisseurs et le sommeil de nos préjugés ? Elle n'était pas dépourvue elle-même de ces préjugés qu'elle combattait, mais lorsqu'une illumination rare touchait son cœur elle savait comprendre et aimer dans une profonde intelligence. J'étais trop jeune moi-même pour l'apprécier, et bien souvent, en changeant de trottoir pour éviter de lui dire bonjour, je sentais le mal que je me faisais à moi-même, plus encore qu'à elle qui n'avait pas besoin de moi. Mais depuis la mort de Séraphine, si je désirais encore aimer et être aimée, ce n'était jamais de la façon dont m'aimaient les autres, en se penchant sur mon humble destin, comme le faisait Mademoiselle Léonard, non, je voulais surtout m'imposer aux autres par une dignité conquérante que je ne possédais pas, puisque ma mère me disait lorsqu'elle me voyait rentrer le soir : « T'es donc sale, Pauline Archange, t'as l'air aussi voyou que ton cousin Jacob. »

Je plongeais souvent dans les yeux de ma mère ces regards embrasés de violence qu'elle n'aimait pas, oubliant qu'elle aussi, autant que moi, avait besoin d'indulgence pour ses fatigues et sa nervosité, car depuis la naissance de ma sœur, notre nouveau logis semblait devenir trop étroit, et ma mère ne trouvait de consolation à ce déménagement inutile que dans la propreté des murs dont elle contemplait la blancheur le soir, tout en cousant, saccadant cette occupation de mélancoliques soupirs, pendant que Jeannot chuchotait dans son sommeil « qu'il avait peur de tomber », s'abstenant de le faire toutefois en accrochant son pied à ma cheville ou en empoignant soudain la queue de mon pyjama, enlacement glacé du sommeil en péril dont il fallait se séparer en glissant jusqu'à l'extrême bord du lit d'où je parcourais sans fin le rayon de lumière dans le corridor, la ligne d'ombre sur le parquet. Le visage de ma mère allait et venait vers moi, lui aussi, dans cet espace flou qui me rapprochait en même temps du tic-tac de la pendule, et déjà, pensais-je, de l'heure du réveil.

Ah ! retrouver notre ancien quartier, Madame Poire, Huguette, Jacquou ! Je craignais tant « Madame E.E. Boisvert, la folle d'à côté et ses pauvres filles ! Une femme sadique, Pauline Archange, c'est moi qui te le dis... » disait ma mère perdant tout accent charitable lorsqu'elle rencontrait « la folie en personne, la folie qui dépasse les bornes... » en cette voisine, en apparence débonnaire comme l'ancienne religieuse qu'elle avait été, grasse et généreuse si l'on ne voyait que la carapace affaissée de son corps sur ses jambes (si avec le temps je pardonnai beaucoup de choses à cette femme, je lui reprochai toujours, avec injustice peut-être, l'aspect monstrueux de son corps, je revis longtemps, en pensant à elle, ses jambes courtes et affolées, portant, tel un sac de viande vermoulue, ce ventre, cette poitrine vaste mais sans majesté, haletant de plaisir devant la douleur infligée à autrui, quand, le même corps, habitant l'âme moins insensible d'une autre personne, m'eût inspiré une grande pitié), dessous l'apparence, véritable bourreau déployant sur sa fille Clara (« Clara qui était du deuxième lit », disait-elle, dont on ne vit jamais trace du père, seul gibier intelligent de cette famille qui avait su trouver ailleurs un abri) tous les dons d'une tranquille perfidie. Si on dansait à la corde, dans la rue, le soir, l'une de nous s'arrêtait soudain, regardait autour d'elle d'un air inquiet : « On dirait que quelqu'un me regarde », et on comprenait soudain, à la joue rougissante de Clara, à la façon dont elle secouait ses tresses sur ses épaules, que le hibou maternel la fixait de loin, sous le buisson élagué des persiennes, qu'elle se débattait en vain avant de sauter dans le cercle de la corde, car le regard acharné de sa mère allait la capturer à nouveau. Ce jeu de la cruauté souveraine sur un être faible semblait à ceux qui en étaient témoins un mystère dont il valait mieux ne pas découvrir les rites secrets. C'est ainsi, peut-être, que l'on manque de courage pour voir ce qui se passe de l'autre côté des prisons, des lieux de tortures parmi lesquels nous vivons. Découvrant un jour que Madame E.E. Boisvert avait laissé Clara seule à la maison pour une semaine « avec deux morceaux de pain et un morceau de fromage », ma mère l'avait invitée à se joindre à nous pour les repas du déjeuner. Les ongles noircis d'encre, Clara s'abattait voracement sur la nourriture qu'on lui donnait, si affamée qu'elle ne semblait pas entendre pleurer le bébé dans sa chaise. Elle trempait et retrempait son pain dans la sauce, nettoyait sans fin son assiette, puis posait sur nos assiettes encore pleines des yeux suppliants cernés d'ombres olivâtres :

— Tu promets de rien dire à ma mère, Pauline Archange, tu promets sur la tête de Jésus-Christ ? C'est pas parce que je viens manger chez vous que je suis une quêteuse, c'est juste pour te faire plaisir, t'as compris ?

Quelle tentation de rompre, d'une sèche parole de vérité, le mariage qui tient ensemble le bourreau et sa victime ! Quelques jours plus tard, suivant le conseil de ma mère « scandalisée par ce cœur plus dur que le roc », je disais à Madame E.E. Boisvert ce que nous pensions d'elle, « ma mère l'a dit, Clara, c'est comme l'histoire d'Aurore l'enfant martyre qui mangeait du savon, elle a tant faim qu'y faut qu'elle vienne manger chez nous...»

Mais le cheval prit le mors aux dents. Adossée contre le mur de la cuisine, je vis ce bras impérieux se lever pour frapper sa fille, saisir au vol l'enfant courbée de frayeur et la coucher sur la table.

— Tu t'en souviendras, cette fois, Clara Boisvert, tu t'en souviendras longtemps.

— Assez, assez, maman !

C'est en vain que je m'unissais aux cris de Clara et demandais avec elle la même clémence, le bras maudit frappait toujours, perpétuant l'inhumanité de tous les actes que j'avais vus ou sentis, répétant sans scrupules les gestes du père de Jacob mutilant son fils, et pendant que je regardais mes poings raidis qui tremblaient d'impuissance et de rage, je me disais qu'il n'y aurait jamais de pardon pour de tels actes, jamais d'espoir sur la terre où chaque jour des milliers de gens blessés ou tués par leurs semblables s'écroulaient du poteau de torture comme Clara s'écroulait de la table, sous mes yeux, pour offrir à notre impuissance un dos tuméfié comme le dos de Clara dont mon regard ne pouvait plus se détacher, dans sa honte. Les mots que j'écrivais dans mon cahier, le soir, « Pauline Archange, on dirait que plus tu vieillis, plus tu vas en enfer, tu recommences toujours à faire souffrir Séraphine, on dirait que tu peux pas t'en empêcher... », ces mots ne me consolaient pas de la peine immense que j'éprouvais en pensant à Clara que j'avais trahie, croyant l'aider, la livrant moi-même aux mains redoutables de sa mère.

Je trouvais même assez juste d'être poursuivie par la mère de Clara, à mon tour, et je n'en disais rien à ma mère. Externe au couvent pour une année, je quittais l'étude avant la tombée de la nuit, mais bien souvent je ne pouvais éviter le profil de Madame E.E. grommelant seule sous une enseigne lumineuse (« Priez, priez, récitez le rosaire, priez sans cesse, dit la Vierge, ») dans la cour du couvent, épiant les élèves en m'attendant. Je courais vers l'autobus, cherchant la protection auprès des ouvriers barbus, lesquels lisaient distraitement le journal, assis ou debout, et je me retournais soudain pour voir à mes côtés, me pinçant les côtes à travers mon manteau, la pauvre folle dont je n'avais aucune pitié, répétant à voix haute son monologue intérieur écumant de jalousie :

— Pauline Archange, on se pense intelligente parce qu'on est la première de la classe, hein, Pauline, la fange, petite ordure des rues !

Comme ces scènes se répétaient presque quotidiennement à l'église même ou dans la rue, ma mère, me voyant rentrer un soir en pleurant, décrochait le téléphone d'un air offensé : « Madame Boisvert, assez, si vous laissez pas ces enfants-là tranquilles, j'vais mettre la police à vos trousses... » Ma mère s'emportait ainsi à tous les cinq ans, et je pensais, en la regardant piétiner le dragon absent de Madame E.E., que si elle ne cédait pas plus souvent aux élans de sa nature, ce n'était que parce que sa santé fragile ne le lui permettait pas. Cinq ans plus tôt, n'avions-nous pas couru ensemble sur le plancher ciré de la chambre, afin de défier l'ordre du propriétaire : « Pas d'enfants qui courent dans ma maison » ?

— Ah ! j'voudrais donc casser une chaise sur la tête de cet homme-là, donne-moi vite une chaise, Pauline Archange, pendant que ton père n'est pas là pour me voir dans mes états...

Auprès de sa famille, ma mère montrait plus souvent l'insoumission de son caractère. « C'est pas parce que ta tante dite la Française vient nous voir une fois par année sur le bout des doigts comme une reine qu'y faut se mettre à genoux devant elle ! » Tout en protestant, ma mère nettoyait vigoureusement la maison, cachait dans l'armoire les vestiges du repassage ou de la lessive, « ta tante a le nez fin, va sous tous les coins du lit avec le torchon », et quand la tante voyageuse arrivait, nous étions peignés, lavés, assis les uns près des autres sur le canapé mauve. Son front, large et nu sous une montagne de cheveux en rouleaux, semblait déjà tourner vers l'horizon lointain une pensée qui errait sans nous voir dans des pays inconnus. Son nez, long et sévère, demeurait seul avec nous, nous observant avec bonté.

— Ah ! la France, soupirait-elle, la France !

Et l'Oncle Gaspart approuvait d'un hochement de la tête, n'ignorant pas, dans sa modestie, qu'il était l'auteur des amours de sa femme « pour les pays de nos ancêtres », se cloîtrant tard le soir dans son magasin de chaussures afin de pouvoir les lui offrir. « Y va crever d'amour pour sa femme, c'est déshonorant », disait mon père. Mais malgré son air lugubre et sa moustache rabattue sur les lèvres, l'Oncle Gaspart semblait plus libre et plus heureux de cette façon, et si on lui demandait pourquoi il n'accompagnait pas sa femme, il souriait mystérieusement, car il était le seul à savoir quelle ombre lourde il eût jetée sur les étreintes de sa femme avec la France, à bien y penser, c'eût été aussi fou que de suivre dans ses liaisons une femme qui le trompait sous ses yeux, s'extasiant devant « chaque colline française, l'air de France qui est le plus pur, le ciel le plus bleu... »

— Vous avez bien raison, Catherine, répondait mon oncle, écoutant distraitement sa femme qui disait avec une touchante préciosité : « Dès que je fus hors du bateau, je poussai un cri, je m'agenouillai sur le sol français et je le baisai avec passion... » Gaspart, lui, ne pensait qu'à sa vente de janvier, « qui va encore me faire perdre de l'argent », voyant au plafond les chiffres douloureux que lui coûtait sa générosité. Si ma tante nous regardait à peine, c'est qu'elle n'aimait pas les enfants, « je n'aime que la France et les petits enfants français... » Elle sortait alors de son manchon la photographie «d'une chère petite fille de France et de sa mère », le visage de la mère reflétant sur la fille un mécontentement familier qui évoquait tout de suite une ressemblance entre ma mère et moi, mais émue par la distance qui me séparait de ces deux êtres tristes, debout dans un fond de cour gris, lequel ressemblait tant au nôtre derrière la maison, j'oubliais cette ressemblance pour me mettre à la recherche de deux êtres inaccessibles, vivant au loin, quand ces êtres avec qui je partageais de fortes similitudes morales vivaient tout près, dans l'intimité intérieure.

— Pauvres femmes, comme elles ont l'air malheureuses ! Ah ! nous avons de la chance d'être tellement heureux, nous autres, disait ma mère en me regardant avec des yeux pleins de reproches, car elle savait bien que lorsque ma tante venait chez nous, j'avais « toujours la tête tournée par la France », et jalouse d'un amour qui, en écartant nos frontières, semblait fortifier mon besoin d'écrire, ma mère disait avec mépris :

— La France, la poésie, ça te passera bien quand t'auras des enfants à ton tour !

Elle n'aimait pas non plus me voir découper les poèmes de Romaine Petit-Page dans le journal du samedi peut-être tout simplement, parce que mon admiration pour ce poète lui semblait absurde :

O France, me voici devant toi
comme un pèlerin amer...

J'imaginais Romaine Petit-Page comme quelqu'un de mon âge, petite fille au génie étincelant, s'épanouissant sous la dentelle et les frisures dorées dont elle habillait son œuvre (« la fine dentelle de ton sourire »,

« la neige qui tombe en dentelle sur mon cœur ») peut-être grandissait-elle, très lentement, en la suave compagnie des héros de ses trois romans (*Les Bras de mon Enfance, Le Prince Adolescent, Jeunesse Fleurie*), héros d'une beauté blonde et gracile qui n'osaient jamais embrasser les jeunes filles, oh ! non, mais qui, cachés derrière les rosiers, les regardaient jouer du piano, ardents peut-être, mais chastes, si «transis d'amour » dans leur hagarde contemplation, « plus roses que les roses dans le coucher de soleil qui tombait sur leurs nuques pures », que dans une sublime distraction de tous leurs sens, « leurs doigts ensanglantés aux épines répandaient de lumineuses gouttes rouges », ce qui semblait satisfaire le désir de l'auteur, mais éveiller en moi plus de trouble que si j'avais vu Jacquou franchir comme autrefois, de ses pirouettes charmantes, le jardin de cette ennuyeuse virginité dont on ne sortait jamais d'un livre à l'autre. Romaine Petit-Page ne répondait jamais à mes lettres, mais grâce à une envolée de trois pages sur les salons mortuaires que j'avais visités autrefois avec

Séraphine, elle m'invitait à joindre son groupe :

Quel âge tendre est le vôtre,
petit oiseau perdu dans la brume,
vous avez l'âge des plus beaux rêves,
quelle fraîcheur, je vous accueille
avec bonheur dans mon royaume enchanté,
rencontrez-moi après la messe de cinq heures,
mercredi, à la Place des Jeunes,
mes amis seront là...venez...

Quelle joie d'attendre, mes journaux sous le bras, la tête errant dans le froid, l'apparition de Romaine la catholique et de ses acolytes, sortant de l'église dans l'émerveillement d'une mutuelle adoration, Narcisses pieux et rêveurs s'exclamant les uns après les autres sur « la belle neige qui neigeait », il neigeait déjà depuis trois jours et de chaque côté des trottoirs s'élevaient des montagnes d'une blancheur suspecte, mais eux ne paraissaient pas s'en apercevoir, happés par la neige profonde, ils tombaient et se relevaient, échangeant des rires fous, artificiels, égrenant sur l'épaule de la poétesse qui, tout en me faisant de grands signes de la main, s'enfonçait d'une botte dans la neige, un chapelet de caresses, hommages de la camaraderie passionnée que l'écrivain accueillait avec une éclatante vitalité, nous montrant à tous ses dents blanches et régulières dans la lumière de la lune, posant ses lèvres volontaires sur les joues qui s'offraient à elle, touchant sans cesse le corps des garçons (« sur la poitrine innocente et calme ») dans le cou, sur le front (« lequel exprimait de vagues nostalgies de pureté ») mais ne se donnant jamais à eux, réservant pour son fiancé Georges, un jeune homme délicat à qui il arrivait de s'évanouir pendant la messe, les trésors de l'attente. Georges cédait sa place à Pierre, et Pierre à Louis, et autour de ces fiançailles éternelles, chacun s'agglutinait, languissait, pendant que Romaine Petit-Page consommait dans le miel et l'affectation, celui des esprits. Au contact de ses nombreux dons, ils écrivaient soudain des poèmes, jouaient des pièces, et piqués par l'adoration que Romaine Petit-Page éprouvait pour eux, chacun se penchait sur son unicité adorable, sentait courir dans ses veines la même virtuosité fade, désireux de savoir tout faire, jouer du piano, chanter, peindre, ils embrassaient tous ensemble la même maladresse, partageaient sans tristesse une harmonieuse absence de talent. Quant à moi, je semblais décevoir un peu le poète et sa bande, ne possédant aucune de leurs qualités, pas même l'âge du garçon le plus jeune parmi eux, Julien Laforêt, qui, à douze ans, tout en vous écrasant les doigts dans une poignée de main militaire, se vantait, le nez en l'air, « d'être un monstre de culture ». Ma mère avait versé, la veille, une bouteille d'huile contre les poux sur ma tête, et cette puanteur me montait aux narines pendant que je regardais les beaux cheveux bouclés de Romaine Petit-Page, lesquels, en recouvrant ses joues poudrées de rose, abritaient un visage légèrement vieilli, des traits durs dont la franchise lui faisait honte, car elle avait su déguiser son corps et son esprit en ce qu'ils n'étaient plus : le visage de l'ancienne fillette qu'elle avait été, lequel avait peut-être attendri les grandes personnes quand elle lisait ses poèmes, à l'âge de neuf ans, et le corps de la danseuse qu'elle rêvait d'être, et s'agitant ainsi à prolonger une enfance idyllique, en elle et autour d'elle, elle qui aimait tant la beauté, commettait sans cesse des fautes de goût contre celle-ci. Romaine Petit-Page me jugeait sans doute trop jeune pour fréquenter son groupe, car pendant les trois années qui suivirent, elle ne m'invita que dans l'intimité familiale, parmi ses neveux et nièces, lesquels grimpaient à son épaule le dimanche après-midi, partageant l'allègre effusion qui emportait Romaine lorsqu'elle s e penchait sur un piano, jouant avec elle, écrivant avec elle, tout en galopant dans la chambre, *La chanson du poulain sauvage parcourant la plaine*, mais jamais je n'avais éprouvé une telle tristesse en pensant à ma vie, et l'élan de bonté et d'affection que cette famille avait pour moi quand je la visitais, semblait rendre plus douloureux encore mon retour à la maison, auprès de mes parents qui eux ne lisaient jamais et ne connaissaient pas la musique. Cet écart social, si subtil et si cruel, ne l'avais-je pas senti s'insinuer entre Mlle Léonard et moi quand elle me confondait aux voyous dans la rue, ne pouvant séparer dans sa sévérité l'être que j'étais vraiment de cette caricature de moi qu'elle voyait s'ébattre parmi les autres ?   Malheureusement, cet écart devenait plus profond encore quand Romaine Petit-Page cherchait en moi un reflet de ce qu'elle avait été, s'émerveillant devant une innocence, une fraîcheur que je n'avais plus, vestiges de ses rêves qu'elle désirait toujours partager avec ceux qu'elle aimait, et si plusieurs de ses amis cédaient peu à peu à ces créatures nées de l'illusion, ce n'était peut-être que pour sauver la pudeur de leur être véritable. Mais l'être sans manières, indompté, l'être qui avait toujours été moi semblait toujours prêt à bondir de son enveloppe nou velle, il retenait farouchement ses blasphémes, et de ce langage que je m'efforçais de rendre chaste, des frissons d'angoisse montaient soudain quand je m'entendais dire : « Ah ! si je serais un écrivain moi aussi, j'en écriverais donc des livres !   C'est facile, vous disez tout ce que vous sentez... »   Romaine

Petit-Page me pardonnait en fermant les yeux, mais longtemps, sur le chemin du retour, en descendant l'escalier qui me menait vers la partie souterraine de la ville, mon ignorance m'oppressait, je passais en courant devant les vendeurs de journaux, craignant de recommencer à parler comme eux si je les saluais. Les livres « d'inspiration fort religieuse et littéraire » que Romaine me prêtait répandaient en moi une ivresse des mots et des images dont je n'étais plus aussi satisfaite, car jalouse de ces livres, je m'attristais de ne pas en écrire moi-même. Il me semblait que la malédiction de l'ignorance, non seulement faisait partie de moi, pour m'empêcher d'écrire, mais qu'elle habitait tout un monde insulaire autour de moi, régnant aussi dans des régions plus hautes de la société, incompétence dictatrice dont la voix ronronnait partout, à la radio comme en chaire, empruntant de nous l'accent familier, le langage infirme pour toujours nous exhorter au même esclavage : « Citoyins, respectez vos chefs, Dieu et l'famille, r'tournez

à la terre...» soufflant sur nos manuels sco-
laires ces refrains funèbres :

« Conjuguer au passé composé :

Garnir ce cimetière de lilas,

Assister à la descente en terre... »

Ceux qui nous dominaient semblaient
tout-puissants du pouvoir que nous leur
avions donné, et pour secouer le joug, il eût
fallu moins l'aimer. Un quelconque des-
pote qui se réjouissait en public « d'avoir
jamais lu un livre de sa sainte vie » fortifiait
l'ignorance commune et la rendait même
tristement supportable. Quand tant de gens
participaient au sommeil d'une passive soli-
darité, chacun refermant sur soi ses frontières, je me disais que d'autres conservaient
pour plus tard leur véhémence, ils apaisaient
en attendant leur inconciliable ardeur avec
le présent, et se levaient peut-être le matin en
songeant à l'avenir avec plus d'espérance.

Toutefois, les jours passaient, et maintenant c'est Jeannot que je voyais rentrer de
l'école en sanglotant ; en me penchant vers
lui pour le consoler, je retrouvais soudain le

visage de Séraphine et le souvenir de l'humiliation ancienne, ce visage tout craintif encore s'abritant de ses bras pour éviter des coups imaginaires que nous n'avions pas l'intention de lui donner. « Oh ! pourquoi les Frères l'ont-ils encore puni ? Pourquoi donc qu'il a tant de mal à apprendre cet-enfant-là, est-ce qu'il est retardé comme Emile ? » Parfois ma mère ne nommait pas Emile, elle disait « l'Autre », dans un soupir de résignation, toute troublée par une suggestion de Mlle Léonard « sur la maladie d'Emile qui risquait d'apparaître ailleurs ». Ma mère avait trop de modestie pour corriger ces graves inexactitudes, devenues fréquentes dans la bouche de Germaine Léonard, il lui arrivait de penser que le mal dont souffrait Jeannot n'était que la paresse, mais dans sa conscience torturée, le fantôme d'Emile était toujours là, et si, de sa tribune médicale, une fausse prophétesse pouvait ériger de telles erreurs tout en les appelant « des vérités difficiles », ma mère, qui se punissait intérieurement d'un crime qu'elle n'avait pas commis, recevait ces erreurs comme des vérités. Jeannot devait grandir, s'appeler Jean, et ma mère dirait à mon père d'une voix plaintive, plus tard : « Ils ont trop de talent, ces enfants-là, y veulent tous continuer leurs études comme si on était des millionnaires ! », mais Mlle Léonard, elle, garderait pour toujours l'image « de votre petit frère Jeannot qui avait tant de mal à apprendre avec les autres », comme si, de l'aveu de ce préjugé, dépendait tout son pouvoir sur les êtres ou sa protection intime contre nous. Pendant ses années de solitude, lesquelles étaient encore traversées de brèves liaisons (telles ces ententes sensuelles qu'elle découvrait lors de ses séjours d'études à l'étranger), Mlle Léonard mutilait ainsi son esprit rénovateur à prononcer des jugements qui n'avaient encore rien perdu de leur méfiance archaïque envers la classe à laquelle j'appartenais. Je ne pouvais lui parler de Jacquou jouant avec des petites filles dans le ravin, autrefois, sans lui inspirer un vif dégoût. « Quelle scandaleuse absence d'éducation ! » semblait-elle me dire avec ce pli de la bouche, ce frémissement des narines, et l'irrévocable dédain passait une fois de plus sur son visage. Cette même femme était celle qui aimait trop les hommes pour être fidèle à un seul d'entre eux, et qui, trop noble et trop lucide pour permettre à l'intensité de l'amour d'envahir son travail, tentait encore de concilier les deux, ce qui semblait inviter la solitude plus que l'homme à se rapprocher d'elle, à mesure qu'elle vieillissait. Qu'ils étaient beaux ces matins où, dès son arrivée à l'hôpital ou à l'infirmerie de l'école, on la voyait rayonner de ce bonheur étrange, où son sourire de la veille, ce sourire tordu et boudeur, fondait sous une expression tendre et rêveuse, ses mouvements quittaient alors leur brusquerie coutumière et elle venait vers nous d'un pas adouci, longeant les murs ensoleillés, penchant sur le côté sa tête myope ! Mais Mlle Léonard méprisait les cohabitations trop longues et en peu de temps elle reprenait sa liberté et ses habitudes de travail : dans cette vie où elle croyait donner si peu d'elle-même, il lui arrivait de se donner complètement, car c'est auprès d'un homme avec qui elle pensait rompre dès le lever du soleil, dans la confiance de son amitié très charnelle, qu'elle s'étonnait de révéler soudain des choses qu'elle n'avait dites à personne, se reprochant de trahir par des paroles venues de l'âme une reconnaissance à un bonheur purement physique. A l'heure où elle était déjà prête à partir pour l'hôpital et à refermer derrière elle la porte de la chambre où dormait encore son compagnon, le ciel semblait si sombre, au dehors, le jour si glacé ! Dans l'aigreur de ses jours de rupture, Mlle Léonard écrivait de virulents articles où elle ne craignait pas d'attaquer, dans *Le Journal des Ouvriers,* ce qu'elle représentait elle-même ou ses parents, comme si, grâce à la forme digne et belle que prenait son amour déçu, elle eût acquis plus que la pitié qu'elle avait déjà, mais aussi une humilité moins brutale que la sienne, une miraculeuse perception du malheur et de l'injustice qu'elle dénonçait dans un style rigoureusement inspiré, et sous cette plume irréligieuse couraient une force, un lyrisme dont la revendication désespérée dominait l'extase de la foi la plus sincère. Germaine Léonard traversait aussi des jours de brouillard où elle ne voyait rien, ne comprenait rien, l'âme envahie de mauvais songes, elle ne sortait de son indignation muette que pour affirmer sa supériorité d'un air sauvage, et on savait alors que, pour sauver les apparences, elle eût calomnié un ami, sacrifié ce qu'elle aimait le plus, car devant trop de persécutions, elle se maîtrisait mal, et pour être comprise de ceux qui condamnaient ses écrits elle empruntait d'eux les opinions réactionnaires ou s'égarait dans des dénonciations morales par aveuglement.

Il était vain de vouloir prouver à Mlle Léonard que je pouvais échapper aux conditions de mon existence, elle avait si peu de foi en ma famille, et le mystérieux affranchissement dont elle rêvait pour nous était peut-être avant tout le sien. Lorsque je lui confiai que j'avais l'intention d'écrire mais que mon père s'opposait « à mes cahiers noircis de griffonnages et d'idées folles quand les cahiers coûtent cher », elle eut toutefois un mouvement de générosité, et pendant qu'elle cherchait des sous dans sa serviette de cuir

« pour acheter des carnets propres et une bonne grammaire ! », je me demandais si elle me souriait avec bonté ou ironie...

Je me réveille encore la nuit dans l'angoisse, un souffle irrégulier et lourd monte de ma poitrine, les chevaux foudroyés qui tournaient en rond avec les nuages, courant sans fin dans le ciel d'été, toutes les créatures qui m'effrayaient jadis par leur mouvement, leur beauté ou l'étrangeté que leur donne l'imagination délirante, elles se rapprochent de moi maintenant, piétinent le sommeil, ce n'est que la violence, et combien de fois cette violence des rêves ne s'est-elle pas incarnée dans la vie, loin de moi et autour de moi ? Je la sens dans ma poitrine, tel le souvenir de la tempête qui fait battre fébrilement le cœur de mon père ; les visions les plus atroces se sont réalisées, je revois Clara, les lignes sanglantes à son dos : « Pourquoi donc, Pauline, que t'as permis tout ça ? », « Viens donc te réchauffer au salon mortuaire pendant qu'il neige » répond Séraphine, elle court près de moi, je vois ses joues rouges sous le chapeau de fourrure, elle me dit de l'attendre près d'un magasin, « qu'elle ira acheter toutes les lampes », mais le jour tombe, Séraphine ne revient pas. J'aimerais tant, aussi, retrouver Jacob « le vrai Jacob qui ne vit que dans mon cœur » mais je me réveille brusquement, debout près du lit, ma mère me regarde :

— Y a deux heures que tu tousses et que tu empêches le bébé de dormir, elle est là toute gigotante et réveillée comme en plein jour, fais donc attention pour pas respirer si fort, pense un peu aux autres, dit ma mère en refermant la porte de la chambre.

La nuit recommence. C'est le jour du déménagement. Nous traversons un tunnel noir, et puis un autre. Mais de l'autre côté, soudain, la lumière nous éblouit. Ma mère lève la tête et dit sans me regarder : « On dirait qu'on commence à respirer, hein, Pauline ? »

DEUXIEME CHAPITRE

Le chuchotement de la Supérieure dans le microphone, ses souhaits de bienvenue aux nouvelles élèves, provoquent autour d'elle, sur les estrades et dans la cour, un soucieux chatouillement de tous les nerfs : les religieuses et les pensionnaires se bousculent vers les corridors, les unes devancent les autres de leur coiffe rebelle et, sonnant déjà la cloche, annoncent l'ouverture des classes, un retour à des habitudes que mes compagnes ont oubliées mais dont elles se souviendront dès qu'un œil fureteur viendra les surprendre échangeant leurs bas noirs pour des bas transparents, sous la rampe de l'escalier... Mère Saint-Georges examine nos notes, méprise « les bulletins d'excellence », cherchant sur nos visages les traces de l'orgueil, et s'informant de la profession de notre père (« Arrangeur de lavabos, Mère Saint-Georges, fleuriste pour les morts ») elle toussote de confusion adorante lorsque Marthe Dubos, dont l'ambition est de devenir plus tard « lieutenant dans la marine ou ben pilote d'avion », dit en mâchant de la gomme que son père « est un gros avocât, sans cœur, qui pense seulement à manger l'argent de son prochain », mais seule une note hiérarchique a touché le cœur de Mère Saint-Georges car elle dit en frémissant : « Nous sommes toujours heureuses d'avoir des avocats dans notre couvent », puis se tournant vers les Petites Moyennes elle nous ordonne sèchement « d'aller nous asseoir en arrière pour apprendre l'humilité ».   Séparée de moi par un rideau de fougères, Louisette Denis cache son front d'une main pâle qui tremble ; si elle osait me regarder un instant, peut-être comprendrait-elle que j'ai honte de lui avoir si peu écrit pendant ses deux années au sanatorium, mais elle baisse les yeux humblement comme si elle désirait se faire pardonner cette longue absence et la maladie qui l'a transformée pour moi; elle semble éprouver, avec moi, que l'être que je retrouve aujourd'hui, dans cette classe, n'est plus l'amie enjouée et saine qui partageait autrefois mon élan intérieur vers la vie... « Séraphine, si tu revenais sur la terre, je serais donc gentille avec toi, je te ferais jamais pleurer et je te gronderais plus jamais»: ces mots, que j'écrivais dans mon cahier hier, ne sont plus sincères ce matin où je refuse mon affection à Louisette que la mort a frôlée.

Une élève étirant paresseusement le bras dans un rayon de soleil, sur son pupitre, le bourdonnement des mouches au plafond (à l'intérieur des lampes où leurs ombres s'agitent en vain), et le vent d'automne qui entre par la fenêtre entr'ouverte, cette existence familière dans laquelle il semble que chacun éprouve une mélancolie de prisonnier, je me répète que c'est mon existence. « Oui, Pauline Archange, c'est pas ta faute si Louisette Denis a eu la fièvre si longtemps, toi t'es vivante, regarde ailleurs, c'est tout, regarde donc Marthe Dubos, ça c'est quelqu'un en santé au moins, elle est toute joufflue et bâtie comme une géante, tandis que Louisette Denis c'est un cure-dent, c'est juste si elle est pas dans la même tombe que Séraphine ! », et pour défendre cette existence farouche, la protéger contre la pitié, on cède encore à la même pensée : « T'as qu'à faire comme si t'étais seule au monde ! » Pendant l'été, quand « on était seule au monde », quand on oubliait volontairement les autres, qui donc pouvait le savoir ? Cette volonté de vivre pour soi-même, d'arracher des moments de bonheur à un être incapable d'être heureux, c'était un crime, peut-être, mais un crime que l'on savourait dans la solitude et que nul n'avait le droit de vous faire expier... Ma mère se réjouissait de nous voir partir pour le parc Isaac, les chauds matins de juillet, ignorant que dès que nous avions franchi la grille, je lisais seule sous un arbre, reconnaissant à peine les silhouettes de Jeannot et de ma sœur agitant leur pelle rouge sur une frêle dune de sable, le tremblement de leur voix, lorsqu'ils avaient besoin de moi, ne semblait plus atteindre mon oreille, car à l'ivresse de lire en plein air, loin de tous, s'ajoutait soudain un inexplicable enivrement de soi, il fallait se toucher le front plusieurs fois pour sentir toute la chaleur de son existence qui se blottissait là, et dans ce moment d'une absolue reconnaissance envers la vie, si moi j'existais davantage, mon frère et ma sœur, eux, n'existaient plus... Ils existaient moins encore, pensais-je, que la lumière du soleil qui tombait impitoyablement sur mes sandales défraîchies, et en fermant les yeux, je pouvais les oublier complètement. Comment pouvaient-ils éprouver la même ardeur de vivre ? Si j'avais traîné dans les rues, le soir, Jean, lui, passait ses soirées en pyjama, aux côtés de ma mère qui berçait le bébé pour l'endormir, et à l'heure où je filais sur ma bicyclette, il tendait vers le ciel encore rose, entre les barreaux du balcon de fer, une main captive qui me saluait amicalement à chaque fois que je passais devant la maison, mais voyant dans ce geste une raison de plus d'être coupable de ma liberté, je ne répondais jamais au salut de Jean, comprenant trop tard que, par ces soirs où mon frère me tendait la main, c'était la même révolte, l'insoumission d'autrefois qu'il cherchait à exprimer lui aussi, mais comme il l'avait exprimée sans colère, je ne l'avais pas reconnue.

Ma mère voyait peu mon père qui étudiait tard dans la nuit (dans la chambre où elle-même dormait pendant que mon père travaillait), et la confiance d'un enfant assis sur ses genoux, ou jouant près d'elle, comblait l'absence d'Emile dont elle espérait guérir, elle luttait contre ses souvenirs en réunissant auprès d'elle ceux qui lui restaient encore, augmentant toujours sa famille, et quand je la voyais s'abandonner ainsi à ses pensées, laissant errer autour d'elle sa sévérité en repos, savait-elle qu'elle n'avait pas perdu un seul enfant, mais deux ? L'inflammable rébellion dont elle était pourtant la mère se répandrait aussi un jour dans le cœur de ces êtres qu'elle gardait auprès d'elle sur le balcon, le soir, pour se protéger, et eux lui échapperaient sans doute comme je l'avais fait moi-même. Elle avait porté des désirs violents, inassouvis, elle ne les réaliserait qu'à travers nous, car bien souvent c'est le rôle des enfants d'arracher à leurs parents leurs rêves secrets, de tuer ces rêves en eux afin de pouvoir les vivre à leur place. En attendant, ma mère aimait tenir dans sa main ouverte la tête de ma sœur, le crâne fragile dont l'enveloppe semblait presque transparente sous la soie des cheveux (si on caresse ce crâne, du bout des doigts, on sent qu'il n'est pas fermé et que par la sinuosité profonde, sous la peau tendue, la mort peut s'écouler par là aussi bien que la vie), il y avait beaucoup de douceur à sentir si près de soi cette créature que l'on avait faite, qui dormait, ouvrait les yeux un instant, un être dont on aimait encore l'obéissance extrême, la tendresse sans servilité...

Mais l'amour maternel qui avait été déçu, humilié, semblait me dire :

— Toi, Pauline Archange, t'as jamais rien donné de bon à tes parents, tu penses qu'à toi-même, c'est à peine si t'es assez gentille pour laver tes frères et sœurs, le matin, tu épluches mal les patates, va-t-en sur ta bicyclette, j'veux plus te voir, heureusement que j'ai d'autres enfants que toi parce que ce serait pas drôle... T'as le cœur plus dur qu'un caillou, et pis encore, y a des cailloux qui fendent, y paraît... J't'ai vue, après-midi, p'tite méchante, quand ta tante Judith nous faisait ses adieux pour l'Afrique dans la cour des Sœurs Immaculées, une tante missionnaire qui s'en va pour dix ans dans la brousse, juste pour sauver les âmes et soigner les lépreux, et t'étais même pas capable de verser une larme! J't'avais pas demandé de sangloter comme Grand-Mère Josette, mais juste une larme, pour que tes cousines voient que t'as du cœur, mais non, j't'ai vue avec ton vilain sourire sur la face, un vrai monstre, mais quoi donc que t'as dans la tête Pauline Archange? Et pis, quand tout le monde avait un chapeau noir sur la tête, toi t'avais ton damné chapeau rouge, y a des fois j'te comprends pas! Tu la reverras peut-être jamais ta tante Judith, on sait bien, toi ça te fait rien, ni chaud ni froid. Dix ans, c'est long, tout ce sacrifice-là pour l'amour du bon Dieu ! Tu penses que t'es seule au monde hein Pauline Archange qui écris des histoires et lis des livres comme c'est pas permis par les prêtres, mais ta tante Judith elle avait toujours le nez fourré dans les livres défendus, elle aussi, à ton âge, au scandale de Monsieur le Curé, elle patinait avec les garçons de la paroisse, c'était une mauvaise elle aussi, mais elle s'est convertie tout à coup, tandis que toi tu te convertiras jamais, tu iras jamais en Afrique comme ta tante, toi, j'me demande à quoi tu penses dans la vie !

Il est vrai que je n'avais pas exprimé de tristesse quand Mère Judith de la Bonté, posant son visage contre le mien, à travers l'étoffe neigeuse du voile, avait effleuré ma joue de son souffle brûlant, il me semblait soudain qu'en s'inclinant vers nous, dans leur voile, leurs pieds foulant les fleurs du jardin, chacune de ces religieuses, que sa foi allait bientôt exiler de nous, nous confiait cet après-midi-là ses dernières joies de vivre, toute la fine contemplation du monde dont elles étaient capables mais qu'elles n'avaient jusque-là exercée que dans la chapelle de leur cloître, et que malgré tout, en se penchant vers nous pour nous dire adieu, c'était l'été, la sensuelle exaltation de l'été qui entrait en nous, avec l'odeur des roses et des pivoines, et on pensait que si chacune d'elles pleurait en embrassant ses amis, ses parents, elle devait un peu sourire aussi, sous ses larmes, car demain, à l'aube, ma tante Judith qui rêvait de partir depuis si longtemps, partirait enfin, délaissant la contemplation pacifiée de son couvent pour « le vrai monde, ah ! des vrais hommes, enfin ! » et cette humanité, elle la retrouverait sur le bateau où son imagination aventurière la portait déjà pendant qu'elle échangeait avec moi ce sourire intérieur que ma mère allait me reprocher parce que j'avais eu l'audace de l'exprimer...

Quel amour du vagabondage poussait Judith et ses compagnes à fuir si loin ! « Dieu, disait Judith, l'attirait là-bas », elle avait reconnu « le mendiant divin avide de pitié, tout couvert de plaies, le visage dévoré par la lèpre », mais on perdait la force de prier, pourtant, devant un front que le mal avait calciné et à qui elle n'offrait que le baptême « telle l'ironique caresse de l'eau sur un brasier, ah ! ma chère sœur, si tu savais tout ce que l'on voit ici, c'est bien dur, parfois, mais je suis heureuse ici et je ne veux plus partir, je me remets lentement de la malaria, tu comprends, l'exil, la différence de climat... » Ma mère s'attristait soudain de l'absence d'héroïsme dans sa propre vie et elle écrivait amèrement à Judith, son écriture irrégulière débordant de passion, de véhémence : « Toi, ma chère sœur, tu ne sais pas ce que c'est que d'être mère de famille et de laver les couches toute la journée, d'avoir une Pauline qui écoute rien, toi t'as toujours eu l'Afrique dans le sang, y paraît que le pauvre Sébastien est mort en dévorant des yeux tes couchers de soleil africains, tu te rappelles tes tableaux qui traînent encore partout chez Grand-Mère Josette, il est mort quand même, sans avoir quitté sa chambre, le garçon malheureux, la vocation d'une mère de famille, des fois je pense que c'est pas assez, c'est pas grand-chose, j'sais pas ce que je ferais si le bon

71

Franciscain venait pas me voir une fois par semaine quand j'suis malade, y a des jours, tu peux pas savoir, on est trop fatigué pour vivre... »

Ma mère n'osait pas pénétrer les apparences d'autrui, et pour elle, le Père Benjamin Robert avait toutes les apparences de la sainteté, d'une aveugle vertu qui la réconfortait mais dont elle ne cherchait pas les fissures, dans la crainte de perdre ses illusions peut-être, mais aussi parce que la présence du prêtre, le beau front illuminé qu'il découvrait soudain dans ses moments d'indignation contre toute autorité qui le gênait, le flot de paroles ardentes, convaincues, qui le secouait sans cesse, lorsque, penchant sa longue tête au-dessus de vous, sa main fébrile battant l'air, il commençait partout, aux enfants de la rue comme à l'agonisant solitaire, des sermons naïfs mais profonds où les mots « vivre, aimer et encore vivre » excitaient les cœurs, fouettaient les sens, oui, ma mère sentait confusément, elle que nous aimions si mal, que cet homme était ivre d'amour et qu'auprès de lui, comme tant

d'autres l'avaient fait avant elle, elle trou-
verait l'apaisement de ses inquiétudes morales. Lorsqu'elle disait à cet homme : « Je
le confesse, mon Père, j'ai déjà tué Emile
plusieurs fois dans mon cœur...», il répondait en haussant son dos voûté : « Nous tuons
sans cesse dans notre cœur, nous tuons toute
la journée, n'y pensez pas trop ma fille...»,
peut-être songeait-il alors à ses supérieurs,
« à tous ceux qui condamnent la charité, la
charité noble et maladive », lui qui avait
expié plusieurs fois, dans « les prisons de
mauvais prêtres », les dissipations de sa vie
secrète, bien qu'il ait connu là-bas le bonheur de n'être plus seul « et le désespoir de
la compassion humaine », chez ses frères
destitués. Il ne voulait jamais blesser autrui,
mais les lourdes fautes qu'il commettait contre sa dignité, sa mendicité têtue, souvent
puérile, l'entraînaient malgré lui vers l'oubli
des lois pures de son cœur... La pitié, la
tendresse dont il avait une folle avidité pour
tous les hommes, il les sollicitait aussi pour
lui-même, et lorsqu'il posait sur vous son
regard fixe et douloureux, inquisiteur sans

jamais cesser d'être bon, tolérant et grave, quelqu'un, semblait-il, venait de s'asseoir près de vous, et ce grand corps désespéré qui paraissait si sage dans son fauteuil, ne vivant que par ses yeux, avait jeté à vos pieds son attente, ses désirs. On entendait la respiration de ma mère, dans sa chambre, une centaine de mouches noircissaient la transparence de leur piège, lequel était suspendu comme une tige au plafond, et partout ce regard me suivait, ne me quittait pas de sa pesanteur aiguë pendant que je lavais les assiettes devant la fenêtre aux rideaux cirés.

—Dommage, ma chère enfant, un homme est malheureux quand il a trop besoin des autres, j'ai tort de vous parler ainsi, je le sais bien, vous ne pouvez pas me comprendre, vous semblez même avoir peur de moi quand je vous regarde. Mais il m'arrive de penser que je pourrais éveiller votre cœur à la pitié, la pitié qui est une très belle chose, laquelle est souvent enveloppée de beaucoup d'impuretés, de délires, de faiblesses, mais une belle chose, tout de même ! C'est la fascination des êtres pour les êtres, c'est tout.

On ne peut pas résister à la bassesse des hommes, on les trouve dignes et bons malgré eux. Nous nous cherchons mutuellement comme des bêtes assoiffées dans la jungle, mais il y a plus encore que cet appel bestial entre nous tous, il y a autre chose de si exaspérant, de si fraternel ! Je vous plains d'éprouver encore la crainte de vivre que vous ont inspirée vos parents, vos éducateurs, on se sent si bien quand rien ne peut plus éteindre la flamme de l'amour dans sa poitrine, ni l'injustice, ni le malheur, pas même la honte, car la honte, au fond, est-ce que ça vaut la peine ? On vous dira peut-être des choses terribles de moi, un jour, vous les croirez peut-être, mais ne jugeons pas toujours les apparences d'un homme, ces apparences sont multiples, elles en cachent d'autres que personne ne pénètre, c'est la tendresse de quelqu'un qu'il faut juger, mais vous ne me comprenez peut-être pas, vous êtes si jeune. Peu importe, je vous ai déjà dit que je n'éprouvais plus aucune honte ! Autrefois, quand je n'étais qu'un prêtre orgueilleux, avide de privilèges, mes supérieurs m'ont envoyé comme aumônier dans une prison. C'est là-bas que j'ai tout compris : je n'avais jamais pensé aux hommes avant ce jour-là. Auprès des criminels à qui je parlais de Dieu, je découvrais que mon innocence était fausse, que mon cœur mentait sans cesse. Le véritable meurtrier des autres, c'était moi, moi l'indifférent, le prêtre dévot, et cette illumination qui m'a touché soudain, il est vrai qu'elle m'a rendu presque fou, qu'elle a provoqué en moi de graves déséquilibres, mais ce vertige puissant qui me secoue encore, c'est la main de Dieu, vous comprenez, la volonté divine tente encore de remuer en moi tout ce qui est charnel et compatissant et il me semble maintenant que je suis né pour la sainte mission du scandale, le scandale de la charité déraisonnable, souvent punie...

Il parlait à voix basse, comme pour lui-même, se confiant à ceux qui ne le comprenaient pas ou qui ne désiraient pas même l'entendre, et les jours de pluie, où les gens, en sortant de l'usine, couraient vers leurs tramways, Benjamin Robert, lui, tête nue sous l'orage, dressait encore sauvagement la main en argumentant avec un ami, son manteau gris flottant autour de ses jambes, ses pieds confortablement écartés l'un de l'autre dans les flaques d'eau, et même lorsqu'il se taisait pour reprendre haleine, on sentait qu'il parlait encore sous ses lèvres entr'ouvertes, bien qu'il fût en même temps capable de vous écouter, d'incliner vers vous sa tête sobre, recueillie...

— Ne partez pas si vite... Trois minutes encore !

Il aimait aussi rencontrer ses adversaires : Mademoiselle Léonard s'enfuyait lorsqu'elle voyait venir vers elle « cet énergumène, ce malheureux fanatique », mais lui la rattrapait joyeusement par le bras :

— J'avais justement besoin de vous, Mlle Léonard, j'ai un détenu pour vous à deux heures... Une infection à un genou, je compte sur vous pour soigner mon gaillard !

— Non, répondait Mlle Léonard d'un air offensé, j'ai déjà bien assez de mes malades, je refuse de soigner tous les malfaiteurs de la ville... Au revoir...

— Vous l'avez déjà dit, docteur, votre
métier c'est le salut des corps ! Et parmi mes
anciens détenus, combien de corps méprisés,
fouettés, battus ! Dans les maisons de réha-
bilitation pour les prêtres, on ne donne
jamais le fouet, mais dans les prisons ordi-
naires pour le condamné sans défense, sans
pouvoir, le viol est puni de plusieurs coups
de fouet, quelle injustice ! Mais l'homme
que je veux devenir doit tuer en moi un jour
le prêtre, ne serait-ce que pour réparer ces
effroyables injustices ! (« Pauvre fou, pensait Mademoiselle Léonard, si seulement je
pouvais m'en débarrasser ! ») Vous êtes im-
patiente, je m'en excuse, laissez-moi marcher
avec vous jusqu'à l'hôpital, je vous quitterai
ensuite. Il faut vous habituer à moi, même
si vous ne m'aimez pas, ne travaillons-nous
pas tous les deux pour la même cause ? C'est
encore la volonté divine ! Ce détenu qui
viendra chez vous à deux heures, je ne vous
cache pas qu'aux yeux des hommes il a un
dossier criminel, mais ne parlons pas de ses
crimes, voulez-vous, la noire et étroite justice
le fera pour nous, j'ai parlé d'une infection

au genou, mais il s'agit de quelque chose de plus grave, de très mystérieux que je ne comprends pas, on dirait que ce jeune homme a décidé soudain de défier ses juges et leurs châtiments et d'imposer lui-même à son corps tout le travail de rédemption que d'autres désiraient lui infliger. Vous me comprenez peut-être, par fierté il préfère se crucifier lui-même... («Je comprends, pensait Mlle Léonard avec une moue dégoûtée, il a eu des relations physiques avec ce prisonnier, ce qui explique tout...») Je vois que vous ne me comprenez pas, reprit Benjamin Robert en baissant les yeux, on comprend peu les gens quand on les juge sans cesse comme vous le faites en ce moment, mais ce que vous jugez sévèrement et ce que j'ai trahi dans ce récit, c'est un secret qui ne vous appartient pas, peut-être. Il est parfois nécessaire de montrer à un assassin qu'il est aimé, lui aussi, de franchir d'un seul coup, pour le rejoindre, cette écorce durable de nos préjugés, car ce qui nous empêche de le comprendre, c'est notre distance, cette supériorité de notre orgueil sur son humiliation. Il faut s'unir à lui afin de ne plus le juger, lorsqu'il devient un fragment de votre âme, de votre corps, on éveille en lui l'amour et bien souvent la délicatesse...

— Quel mauvais temps, quel temps de chien, dit Mademoiselle Léonard qui n'osait plus regarder le prêtre, je serai en retard à cause de vous...

— Quand il pleut comme aujourd'hui, je pense à ces instants interminables, à cette persécution du temps qui sévit dans chacune des cellules des prisons, la nuit je ne dors pas, car il suffit d'une distraction, de quelques heures de sommeil, pour perdre contact avec cette pensée... Et quand on veut changer les choses, cette pensée devient vite une hallucination, une vision de la mort sur la terre. J'ai déjà dit cela dans des conférences, mais on ne m'écoute pas, j'ai écrit des articles que personne ne lit, et lorsque je parle trop, on m'impose le silence, on me chasse dans un monastère pour apaiser ma révolte, mais c'est bien inutile, n'est-ce-pas ? Un homme est toujours libre quand il le veut : la liberté des cœurs et des esprits, ce n'est pas comme la sagesse ou l'équilibre, vertus que nous ne pouvons pas toujours acquérir quand nous avons déjà perdu la raison. Auprès des gens simples, je retrouve parfois cet équilibre. Je découvre aussi, dans les familles que je visite chaque jour, le même silence que dans nos prisons. Il y a tant de violences qui dorment, de meurtres silencieux sous les habitudes ! Il est vain de vouloir rapprocher les uns des autres des êtres qui se connaissent si peu ! Mais savez-vous que ces êtres fatigués et sans paroles, ces mères souffrantes qui n'ont besoin du prêtre que comme un ami, un frère capable de comprendre leurs secrets étouffés, ces êtres ont aussi une voix quand on les écoute, je sens même parfois qu'ils partagent ma révolte contre cette vaste autorité visible et invisible qui toujours dans le monde a broyé les plus faibles... Vous devez bien comprendre cela, vous, docteur.

— Je ne sais pas de quoi vous parlez, je travaille, moi, dit Mademoiselle Léonard .

— Vous travaillez, mais jamais en vain. Il vous arrive de vaincre des maux physiques, de guérir les hommes. Mais pour nous, pour ceux que l'on consacre à Dieu, il semble interdit de faire notre œuvre dans la vie même. Aimer la vie, pour nous, c'est un blasphème. Nous travaillons dans le désert. Comment pouvons-nous prier quand autour de nous on prolonge le châtiment de l'innocence ? Depuis le texte de la loi jusqu'à l'architecture des maisons de détention, tout notre système social s'érige en vérité de marbre au-dessus du condamné, et très souvent de celui qui a été injustement condamné. La façon immaculée dont les juges s'acquittent des fonctions les plus cruelles, le rite des « palais de justice », ces mots qui ont une ironie venimeuse, l'uniforme des policiers, le bruit des clés de fer, l'odeur des matelas, la camaraderie des geôliers, les séquestrations au cachot, tout invite la victime à différer sa révolte, à contempler ses anciens et vrais crimes, à s'associer au sort des coupables ! Voilà un peu ce que m'écrivait ce jeune homme, Philippe, Philippe L'Heureux qui à dix-huit ans , il vous le dira peut-être lui-même avec orgueil, aujourd'hui a déjà connu sept

prisons, et combien d'assassins, de suicidés !
Ce prisonnier m'écrivait aussi il y a un an —
(il tirait de sa poche un volume de Baudelai-
re dans lequel il pliait quelques-unes de ses
lettres, lettres qu'il relisait la nuit « comme
une Bible du malheur » disait-il) et permet-
tez-moi de vous lire un passage de cette let-
tre —«la justice qu'un prisonnier s'impose
à lui-même , m'écrivait-il, est implacable et
morne. Elle est sœur du repentir. On commence soudain à penser au suicide comme
à la dernière étape de sa révolte intérieure,
il semble soudain plus digne de mourir que
de vivre : moi, quand je m'évaderai, on ne
me trouvera pas accroupi dans un bosquet,
cerné de tous côtés par des brutes qui me
crient de me rendre, non, si on me trouve
dans ce trou, je serai mort, le revolver encore
appuyé sur mon crâne ouvert...» Vous
comprenez, nos juges satisfaits, les pilliers de
notre société, voilà ce qu'ils inspirent à nos
enfants !

— Je dois vous quitter ici, dit Mademoiselle Léonard qui traversait maintenant la

rue, l'hôpital est tout près... Au revoir...
Mon père...au revoir...

Elle s'éloignait déjà. Benjamin Robert
sourit tristement, les bras croisés contre la
poitrine. « Dommage ! » murmura-t-il en
regardant tomber la pluie.

Germaine Léonard retrouvait un peu de
la bonté de la vie entre les bras d'un homme,
et bien souvent, ceux qu'elle avait méprisés
pendant le jour semblaient se dissoudre avec
elle dans la tendresse de ses nuits où son
cœur brièvement comblé et vaincu ne jugeait
personne, pardonnait à ceux qu'elle avait
offensés, où, bercée par un rêve d'indulgence
et de domination, elle pensait « je comprends
ce misérable prêtre », mais si elle croyait le
comprendre, ce n'était que parce qu'elle se
sentait délivrée de lui, lorsqu'il n'était pas
là. Elle éprouverait encore la même hostilité, la même frayeur « d'une vie trouble et
étrangère » qui s'imposait à elle, à travers le
prêtre, elle l'éprouverait dès son retour à
l'hôpital, car c'était là, lui semblait-il, qu'elle
risquait de céder « à l'avilissante pitié, cet
homme est malade de pitié... Quel poison !

Quel vice ! » (N'avait-elle pas acquis la compassion dans la sécheresse, non, la rigueur,
pensait-elle, de son tempéramment naturel ?
et n'était-ce pas son devoir de se révolter contre l'attrait de toute souffrance ?) Il lui arrivait maintenant de trembler en notant sur
son carnet les réflexions médicales de la journée : « Lucie Beauchemin, 9 ans, chambre
220, leucémie, décès, 4 heures... »   Autrefois, elle eût rapidement glissé le carnet dans
sa poche, aujourd'hui, elle hésitait à laisser
fuir ce visage dont elle dérobait quelques
traits : « On lui avait rasé le crâne. Peu à
peu, elle ne répondait plus que par de faibles
sourires. Le vain effort de lui donner du
sang nouveau. A la fin du jour, sa chambre
était vide, pas même un drap sur le lit.
Je... » Elle effaçait à mesure l'aveu sensi-
ble de cet être qui, en elle, s'insurgeait contre l'habitude pour parler de soi, de la vie,
« service inutile et torturant auquel on ne
peut échapper »,   de ce profond dégoût de
Dieu qui la remplissait lorsqu'elle songeait
à Lucie Beauchemin, « quel être sans pitié a
pu consentir en secret aux douleurs de cette

enfant ? » mais elle s'arrêtait soudain, redoutant l'agitation de son esprit, car « il y avait un grand danger à parler de soi-même » et comme elle rayait les mots qu'elle venait d'écrire, les écrasant sous sa main ronde, un à un, elle éprouvait une étrange fierté à vaincre en elle le besoin d'écrire, elle tuait « l'exécrable pitié » que Benjamin Robert avait laissée derrière lui, et sans cette pitié, elle pouvait vivre à nouveau...

La confession apaisait ma mère. Lorsque le prêtre quittait la maison, je cherchais sur le front de ma mère les signes d'une paix nouvelle et il me semblait que la délivrance d'Emile approchait. « Je pense que j'vais me lever, Pauline, j'me sens mieux tout à coup, occupe-toi du bébé qui est encore dans son carrosse, dans la cour... »

— J'ai pas l'temps. J'écris.

— On sait bien, Pauline Archange, t'as jamais le temps quand c'est pour aider ta mère.

En écoutant Benjamin Robert, son amour de la vie m'avait emportée, saisie, je tremblais du bonheur de le dire dans mon cahier, mais je retrouvais encore la même maladresse, je répétais les mêmes choses démunies : « Tu te souviens quand tu avais très chaud dans le parc, l'autre jour, tu regardais tes vieilles sandales et quand tu mettais un doigt devant ton œil, tu ne voyais plus Jeannot ni ta sœur, le grand ciel bleu t'écrasait de chaleur, le soleil te brûlait, ce jour-là, tu étais en vie et c'est tout ce qui compte. Quand Benjamin Robert me regarde, mon cœur bat très fort, c'est comme dans le parc, avec la chaleur et le soleil, je suis en vie et c'est tout ce qui compte. Mais quand il s'en va, c'est triste et vide dans la cuisine, les mouches grouillent sur le papier collant et ça me donne mal au cœur, ma mère m'envoie voir si ma sœur dort encore dans la cour et des fois j'arrive juste à temps pour faire peur au gros rat qui se promène autour de la voiture du bébé, y a pas danger parce que ma mère a mis un filet contre les mouches, mais je pense que les gars d'à côté qui sont pires que des animaux sauvages et qui aiment tant tuer les bêtes, devraient tuer notre gros rat avec des briques comme ils font quand ils tuent les chats et les oiseaux. Une fois j'en ai vu un qui avait pris un chat puis l'avait abattu contre le mur, toute la nuit on avait entendu ses gémissements sous l'escalier. Benjamin Robert pourrait pas dire que les chrétiens ont du cœur s'y voyait ça, y dirait qu'y a des gens qui sont nés comme des animaux sauvages et qu'y peuvent plus changer, même des fois qu'ils sont si méchants qu'ils gardent les chats vivants pour les torturer longtemps et quand ils enlèvent des morceaux de la peau du chat qui hurle , y sentent pas le mal que ça fait sous les os de l'animal, ils rient autour de lui pauvre martyr, non si Benjamin Robert voyait ça, y dirait que nous autres les chrétiens on est pire que des lions féroces et il aurait de la peine, y dirait que la souffrance du chat c'est pire que la souffrance de Jésus sur sa croix...» Mais combien de fois Benjamin Robert n'avait-il pas perdu l'espoir de réhabiliter cette fureur dont la cause lui semblait tout humaine, pourtant ?

— Il est vrai, mon enfant, que ceux qui pratiquent ouvertement la cruauté se vengent souvent des malheureuses conditions de leur existence, mais il y a des jeux de cruauté et de barbarie auxquels il faut refuser notre commisération. Un prêtre n'a pas le droit, peut-être, de parler ainsi, car notre rôle fut toujours celui de la complicité silencieuse, de la complaisance meurtrière, et l'enfer est rempli de ces mauvais anges de la résignation qui ont laissé à leurs esclaves la tâche de tuer à leur place... aussi, je le crains, quand Jésus fut crucifié, nous n'étions pas là... Si nous avions le courage de tremper nos mains dans le sang comme les grands criminels — je ne parle pas de cette forme de crime inconscient et aveugle que nous rencontrons partout ni du sadisme des foules — si nous avions la force de condamner la vie, de l'aimer d'un amour dévastateur et sans pitié, tel cet amour maudit qui consume l'âme du véritable meurtrier, amour dont il pourrait s'éprendre jusqu'à la sainteté, nous pourrions alors tout comprendre, nous aurions le secret d'une autre vie dont l'absolue sécheresse, l'absolue vérité nous éblouiraient. Mais la race des insoumis est avant tout une race orgueilleuse mais pauvre, car il est dur de subir le mépris des hommes ! Longtemps, j'ai senti en moi-même cette faiblesse qui m'empêchait de me séparer d'eux, nous aimons le respect, la vénération et une belle image de nous-mêmes caresse toujours notre vanité, même lorsque cette image est fausse. Ce n'est plus la discipline qui garde l'homme religieux dans son couvent, c'est cette vanité, peut-être, la peur de l'image dévoilée, la peur..! Un prêtre qui veut embrasser la vie et ses erreurs n'ignore pas qu'une armée de prêtres vertueux se dresse toujours pour le protéger, pour pardonner ses fautes, il sait que le châtiment social lui sera toujours épargné. On ne lit jamais dans les journaux, n'est-ce-pas, qu'un prêtre a commis un viol, non, le prêtre aime trop le mensonge pour supporter de telles accusations, son privilège l'enivre, il a bien quelques regrets, bien sûr, il tombe aussi dans une excessive piété, mais il ne connaît jamais cette torture de la conscience, ce déchirement qui est la crise quotidienne du paria, non, au contraire, sa conscience est scellée pour l'éternité, endormie, quelle tragédie et il ne le sait pas ! Voilà pourquoi j'ai eu cette idée démente, un jour, en lisant les lettres d'un ami, oui, j'ai pensé qu'il était temps pour le prêtre de risquer toute son âme, mais c'est une idée démente et je dois encore beaucoup réfléchir. C'est la volonté de Dieu qui m'a réveillé, une nuit, quand je dormais dans la cellule confortable de l'aumônier — ah ! la chambre du bon prêtre avec ses rideaux chastes, son crucifix inerte — c'est la volonté divine qui m'a arraché de mon lit pour me pousser contre le mur, et là, appuyé contre ce mur, j'ai entendu les lamentations d'un condamné à mort, un garçon si jeune que lorsque je l'ai vu le lendemain matin qui marchait en souriant vers le réfectoire, je me mis à trembler de frayeur pour lui. Mais avais-je rêvé ? Dans mon insomnie, tout peut arriver... Etait-ce ce garçon au sourire effronté qui avait pleuré toute la nuit ? La nuit suivante, je fis un rêve : c'était l'aube et je me levais pour la messe quand j'observai soudain que mon lit était tout ensanglanté... « Tu n'as rien à craindre, me dit une voix invisible, tu n'es pas blessé, tu dors dans le lit d'un autre qui a versé tout son sang...» Je m'éloignai alors de mon lit pour courir dans le corridor quand on m'ouvrit la porte de la cellule de Philippe. «Venez...me dit-il...» Il était tout vêtu de blanc et si pâle qu'il semblait n'avoir plus que quelques instants à vivre, il m'ouvrit les bras et je m'approchai de lui et le baisai sur la joue. «C'est la première fois que...» mais il était visiblement trop affaibli pour achever sa phrase, il ferma les yeux. Il y avait sur son visage un sourire vague et cruel qui était pour moi le signe qu'il vivait encore...

La dédaigneuse expression de Mademoiselle Léonard condamnant « les faiblesses de ce prêtre malade ... oui, très malade...» (elle appuyait sur ce dernier mot avec une obstination méchante, Benjamin Robert échappait à des lois universellement reconnues, donc à ses propres lois morales), la façon dont elle l'avait regardé irritait le prêtre qui connaissait la nature de son amitié pour Philippe et méprisait « le jugement de nos apparences, lesquelles, même lorsqu'elles sont vraies, cachent encore des actions complexes, inconnues...», pour lui, la vie n'était qu'une illicite recherche de l'amour et de l'humilité, et « il se servait à cette fin de son corps comme d'un instrument de connaissance, fuyant toutes les pentes mystiques, les pièges d'illusion ou de sommeil qui ont souvent détourné le prêtre de sa vraie vocation sur la terre... » Il avouait franchement « oser vivre la vie de chacun, la vie de tous, vouloir assumer l'incohérence de l'amour », et c'est lucidement et sans trouble qu'il échangeait parfois sa soutane pour des vêtements d'ouvrier, déposant à la gare de la ville « la robe de l'hypocrisie et du mensonge » dans un casier qu'il avait loué, pour aller vers ce que Mademoiselle Léonard appelait « des rendez-vous de fornication », en rougissant de honte pour le prêtre, mais lui eût clarifié ce langage en disant : « J'avais ce soir-là le désir d'étreindre un homme dans mes bras » (ajoutant dans son cœur, « un homme oublié de tous les autres... ») mais cette tendresse de passage ne pouvait se comparer au sentiment douloureux et bon qui le liait à Philippe pour qui il éprouvait «une extrême compassion sans espoir . . .» Il avait choisi Philippe, comme il le disait lui-même dans ses lettres au prisonnier, « parce qu'il y a en vous, non seulement l'obscure matière dont le crime est fait, mais quelque chose de plus grave que nous chercherons ensemble, ne craignez rien, je ne parlerai pas de la grâce, je dirais plutôt qu'il y a en vous l'intelligence et la sensibilité au mal dont vous êtes l'auteur . . . Cette puissance de tuer, de tourmenter autrui semble vous déchirer avant d'atteindre votre victime. » Philippe protestait distraitement, parlant d'autre chose : « Votre générosité n'est-elle pas mauvaise pour moi puisque vous me croyez bon, or, je ne suis ni bon ni bas, je veux surtout sortir de ce monde, j'en ai assez ! » Le ton variait brusquement comme l'humeur du jeune homme : « Je vous en prie, mon Père, suspendez vos envois de livres, j'ai encore de quoi vivre un mois. Las de m'envoyer des livres, vous continuez peut-être à me combler, ce qui me rend malheureux car j'ai peur de la gratitude. Dans ma cage, je tourne les pages d'un livre comme on suit pas à pas la piste d'un animal errant. On m'a sauvé de la peine de mort, je dois donc me servir de ma vie maintenant et la disséquer sous mes yeux comme un cadavre !... Merci pour le Spinoza qui me fait comprendre plusieurs de mes intuitions paradoxales... Ne vous faites donc pas un devoir de m'écrire, mes vrais amis comprennent que je n'ai besoin d'aucun réconfort. »

Benjamin Robert exigeait de Philippe « la vérité, le retour à la violence inavouée de votre être, vous le savez bien, Philippe, même si vous avez obtenu sans le vouloir le pardon de vos juges — car pour eux telle est leur idée du pardon, même si on vous emprisonne à perpétuité — il est vain de vouloir fuir l'éternel procès intérieur puisque vous ne pourrez jamais échapper à la sévère analyse de ce juge qui vit en vous... On a parlé de votre « précocité tragique, du délire d'un cerveau en feu », mais c'est bien volontairement que vous avez tué votre père et sans délire, qui sait, peut-être même armé de cette froide insolence que vous reprochez à ceux qui sont là pour vous juger aujourd'hui. Si je vous parle ainsi, Philippe, c'est parce que vous avez eu le courage d'affronter mon hypocrisie, ce matin-là, au réfectoire de la prison, pour vous je n'étais « qu'un vil aumônier de prison, voilà, vous êtes ici pour nous bénir, dans cette ville noire et crasseuse, l'odeur du vice et de la misère n'atteint même pas vos narines ! Ah ! prophètes et grands-prêtres ridicules, j'ai honte pour vous tous comme j'avais honte pour mon père quand il vivait ! », je croyais ne pas mériter ces paroles, il est vrai, mais maintenant je les comprends davantage. Plus doucement, vous avez parlé de vous, de votre père .

— J'ai décidé qu'il n'avait pas le droit de vivre.

— Mais est-ce une raison suffisante, Philippe ?

— Toutes les raisons sont bonnes, dans les livres comme dans la vie... Regardez le monde, le sang y coule à flot, nous sommes tous bien cyniques, eh ! oui ! Les chefs que nous choisissons ne sont-ils pas voleurs et assassins ? Nous avons tous trop faim de viandes humaines pour avoir le droit de vivre ! Pensez à mon père, il aimait sincèrement la justice, disait-il, il avait dit et répété à ma mère qu'il ne prononcerait jamais une sentence finale, et il est vrai que grâce à lui, à son pouvoir surtout, certaines exécutions n'ont jamais eu lieu, mais dans ce métier impur il ne pouvait pas être pur, il a trahi tous ses principes... Une seule erreur, une seule faiblesse, le goût du sang, peut-être, la tentation de la mort... comment expliquer son attitude ? Et qui condamnet-il ? Un homme de sa classe ? Non, un pauvre homme qui en rentrant chez lui, un soir, découragé et ivre, brûle la maison où dorment ses neuf enfants et sa femme ! Pensez à cela, la nuit, mon père, cet homme parfait, cet homme qui fut respecté par ses amis, sa famille, avait légalement tué quelqu'un... imaginez l'angoisse de l'incendiaire qu'on allait pendre... Et pourquoi ? Pour un pauvre crime de fatigue, de lassitude... J'ai honte, si vous saviez, je me réveille le matin en suant de honte ! Mais vous m'écoutez bien sagement comme un professeur, la tête inclinée, qu'attendez-vous de moi ? Que je demande pardon à Dieu ? Je n'ai aucun regret, je recommencerais encore, vous comprenez, c'est l'âme de ce pendu qui gémit à travers moi ! C'est sa honte qui hurle et je ne peux plus la faire taire. Et même, savez-vous mon père, en vous regardant comme ça, vous et votre air d'innocence, vous qui aimez tant vous pencher vers notre détresse et nous pousser doucement vers le repentir, la nausée du repentir, plutôt, une pensée révolutionnaire me traverse l'esprit, oui, l'auriez-vous déjà devinée, j'aimerais vaincre en vous tout orgueil, effacer toute trace de Dieu en vous... pervertir votre cœur...

— Il faut avoir pitié, mon enfant, nous avons trompé les âmes, bien souvent, je l'avoue... mais si cela existe... la sincérité dans le mensonge, beaucoup de prêtres ont vécu ainsi et vous qui avez arraché à un autre le pouvoir, la honte de juger, n'abusez pas de ce pouvoir à votre tour...

— Ah ! s'écria-t-il avec dégoût, vous défendez leur faiblesse !

—Peut-être. Je ne suis pas prêt encore pour la délivrance du mensonge. Ce sera une longue lutte, je le sens. J'ai été bouleversé par un rêve, une étrange vision cette nuit... Ce rêve semble confirmer ce que vous exigez maintenant de moi, une complète métamorphose de tout mon être, une identification au désespoir de la conscience, à votre malheur ! Votre intention est perverse, peut-être, mais elle représente pour moi un admirable défi, une audace furieuse, si je n'avais pas fait ce rêve, je ne vous comprendrais pas. Mais dès cette nuit mon âme saignait pour vous. Vous exigez de moi une pitié inhumaine, vous me demandez de porter votre croix, de devenir un réprouvé comme vous, mais vous oubliez combien ma conscience est fragile et apeurée... Ne souriez pas, c'est la vérité. Mais qu'est-ce que la damnation d'un prêtre sur la terre... pour vous, comme pour moi, c'est peut-être le seul acte courageux de rédemption !

—Je n'avais pas pensé à cela, dit Philippe en souriant, quand je parlais de pervertir votre cœur, ce n'était que par soif de vengeance. Mais si vous êtes assez fou pour prendre au sérieux la provocation d'un gamin, j'avoue que cela me fait peur pour vous. L'air empoisonné de cette prison vous a tourné la tête, cette nuit ! Tant de choses rôdent dans l'air... tant de vices, de pensées coupables et de regrets ! Vous voilà malade d'un repentir qui ne vous appartient pas ! Vous serez misérable ! Vous serez avide de reconnaissance, comme tous les hommes, et je hais la reconnaissance et les bienfaiteurs ! Je serai comme un pauvre qu'on rejette... Non je vous assure, vous êtes fou, soyez raisonnable, retournez à votre chapelle, on aime bien vos sermons, vos messes et tout, personne ne vous comprendra si vous décidez de changer de peau soudain... Nos prisonniers seront pleins de mépris pour vous, car la société n'est pas meilleure ici, allez ! Vous perdrez votre âme en vain, et pour moi ça ne vaut pas la peine... je ne crois plus à ma propre vie... Oui, ce serait une grave erreur... et ne craignez rien, je le ferai tout seul mon petit travail de rédemption, je n'ai pas besoin de vous, je me lasse très vite vous savez... je comprends toutes les formes de lassitude... Cela m'amusait de vous plonger dans la nuit, de vous enfermer dans mes ténèbres, mais maintenant le jeu m'ennuie ! Vous êtes naïf, mon Père, et vous l'avez dit vous-même, vous n'êtes pas prêt, le crime n'est pas beau, c'est le devoir de ceux qui l'ont commis de l'élever sans cesse, vous m'entendrez dire : « Le crime est un cri, une révolution, la voie du crime est la plus difficile voie de la vie, un acte de révolte, une incandescente souffrance », mais ne m'écoutez pas, j'aime le son de ma propre voix, c'est tout. Dans la solitude, surtout, je me parle beaucoup à moi-même. Quand on fait de la mort toute son œuvre, il faut bien en parler avec triomphe ! Qu'en pensez-vous, pauvre curé ? Mais vous ne savez pas de quoi je parle, je sens cela dans votre regard inquiet, dans vos mains qui tremblent. J'ai eu tort de vous tenter, simplement pour recevoir votre compassion et la détruire sans gratitude. Non, ne me dites pas que je suis sauvé, ce n'est pas vrai. En tuant, je désirais peut-être le bien d'un autre, le bien, si vous voulez, à l'état pur, mais on abhorre un mal, alors cela ne signifie plus rien...» Dans un élan de pitié, Benjamin Robert sentit alors «qu'il voulait perdre sa vie, car l'enseignement du Christ nous pousse irrésistiblement vers la profanation des apparences, la franchise de Philippe, sa cruauté à vouloir détruire le faux prêtre en moi, semblaient réveiller un homme nouveau, un homme qui répudiait enfin le mensonge, mais cet homme fuyait encore la lumière, il se cachait en moi, avide de ma protection. Que craignait-il? Ce que je crains encore... le mépris des hommes!» Il me parlait souvent de ce mépris:

— C'est étrange, ma chère enfant, je pense parfois que ce clou que l'on enfonce dans la chair étonnée du criminel, cette haine qui le marque pour toujours, je pense parfois que le mépris des hommes est la plus grande épreuve du malheureux... Bien souvent il en fera un vêtement de fierté pour recouvrir sa faute, mais c'est un vêtement qui le souille plus que le souvenir de sa faute...

Les paroles de Benjamin Robert laissaient encore peu de traces en moi, car après avoir écrit quelques lignes où je ne parlais que de moi-même, je songeais déjà à rejoindre mes amis. Ma mère me touchait l'épaule en me regardant d'un air irrité :

— T'as pas le temps d'aider ta mère mais t'as le temps de sortir, coureuse. Où tu penses que tu vas comme ça ?

— Pourquoi donc que vous voulez tout savoir ?

— C'est écrit dans le quatrième commandement de ne pas répondre à sa mère. Honore ton père et ta mère. C'est écrit comme j'te parle.

— J'm'en vais au grand colisée voir la réunion des Monseigneurs. Romaine Petit-Page joue dans *Les anges sur la colline*.

— C'est une pièce catholique, au moins ?

— Les curés écrivent seulement des pièces catholiques, y paraît.

— T'as pas de respect pour la religion, Pauline Archange, t'as plus de respect pour rien, y manquait plus que ça... Va au moins te laver la figure avant de sortir...

Sur la scène du « grand colisée » (laquelle servait en hiver de patinoire pour les joueurs de hockey, leurs équipes bleues et rouges courant à genoux sur la glace fine, la tête enfoncée dans les épaules, poursuivant comme une méditation intérieure la rondelle noire, fugitive et brutale, car pendant que la foule hurlait, que sur les estrades tremblait un brouillard de visages et de mains, l'un deux tombait soudain, le front déchiré par un éclair de la balle intrépide), sur cette scène voltigeaient maintenant des anges sans grâce, dont le mièvre sourire semblait vouloir accueillir la rangée d'évêques debout au fond de la scène, lesquels attendaient dans une majestueuse impatience leur tour pour la cérémonie « du tricentenaire de Monseigneur Fontaine Mercier », on les nommait un à un et le flot violet de leurs robes cheminait vers nous dans un déploiement de couleurs et de révérences « dignes des plus beaux oiseaux de ce monde ! » soupirait Julien Laforêt, debout sur un banc à mes côtés, « quel spectacle, ma petite Pauline, cela me rappelle le 16ème siècle ! Quelle dignité, quelle vanité superbe chez nos princes de l'Eglise ! Cela m'émeut toujours, voilà ce que je deviendrai plus tard ! Nos évêques sont de grands comédiens, c'est admirable. Si seulement je pouvais avoir une soutane de ce rouge violent, en velours, je serais très heureux. Je vois Romaine qui nous fait un petit signe de la main... Ce faste l'impressionne, elle aussi. Elle vous aime beaucoup, vous savez. Elle dit que vous avez des dons. Vous regardez ma médaille ? Ce n'est rien, j'ai toujours des médailles pour mes versions latines. Toute cette richesse historique sous nos yeux ! Je ne l'oublierai jamais. Je reconnais Monseigneur Céleste, figure solitaire et pourpre dans le soleil de sa puissance. Comme il est beau ! Si les autres sont des princes, lui est un roi. Je ferais la même chose si j'étais à sa place. J'arriverais à la fin pour recevoir plus d'admiration encore. Je m'inclinerais ainsi devant la foule émue. Voilà les anges qui recommencent à valser sur les collines. Je préfère les évêques, ils ne sont pas purs, c'est vrai. « Etre pur, c'est être sans mélange », comme dit Platon. Je ne suis pas ainsi. Eux non plus. A peu près tous les êtres humains sont en ce sens plus impurs les uns que les autres. A l'exception de notre amie Romaine Petit-Page. Elle, c'est différent. On dit que les enfants sont capables de pureté. C'est une illusion. Il est vrai que j'aurai bientôt treize ans, donc je ne suis plus un enfant. La vanité est un vice, mais est-ce un vice sacerdotal ? Regardez les oiseaux, ils sont vaniteux. Toute la nature est vaniteuse. Tiens... Romaine sourit parmi les anges... je la préfère quand elle écrit ou joue du piano. Je me demande encore en lisant Platon s'il aime vraiment le poète, c'est pour lui un être sacré, bien sûr, mais c'est peut-être aussi quelqu'un qui le fait sourire. Dans *La République*, il lui manifeste une vraie déférence, il le fait couronner de lauriers, verse de l'huile sur sa tête. Ah ! mais attention, cela ne signifie rien. Dans *Le Phèdre*, dans sa hiérachie des âmes, le poète n'est qu'au sixième rang, entre d'un côté le devin et de l'autre l'artisan, le paysan. Romaine n'aimerait pas m'entendre dire cela. Elle croit à l'aspect sacral du poète, vous comprenez ? Dans tous ses poèmes, dit-elle, « elle donne de sa chair, de son sang... » moi je dis que c'est de la chair et du sang perdus. Elle dit que je suis « un intellectuel forcené, que mon imagination est utopique », c'est vrai, j'aime les contes de fée, comme les évêques dans toute leur splendeur, j'ai le goût de l'ordre, de l'unité comme un chef politique. Ah ! l'unité dans l'œuvre de Platon, quelle vertu admirable ! La pensée de Platon est éminemment exigeante mais surtout dans l'ordre de l'intelligence, elle est plus esthétique, peut-être ai-je tort... Si vous continuez à vendre des journaux et des calendriers après l'école, vous ne pourrez jamais cultiver votre esprit, ma petite Pauline, et vous ferez longtemps des fautes en parlant. Je serai votre professeur comme avec mes sœurs. Six sœurs, c'est beaucoup. Elles ne lisent que des choses pieuses, ne veulent même pas entendre parler de Platon. C'est une joie pourtant quand on me parle de lui. Il reste que Platon trop facilement sacrifie le bien de l'individu au bien de l'ensemble, l'individu, après tout, n'a pas cette valeur absolue qu'il a prise pour nous avec le christianisme. C'est fini, tout le monde s'éloigne…dommage ! Je crois bien que je deviendrai cardinal, ou bien député. Romaine nous attend sur la scène. Venez, nous irons la rejoindre. Vous écrivez, Pauline ? Eh bien continuez…vous ne pourrez jamais écrire aussi bien que Romaine, c'est impossible. Vous parlez trop des salons mortuaires dans vos poèmes, toujours des choses tristes. Romaine, elle, ne parle que des nuages qui filent sans bruit au-dessus de la mer, « du soleil qui tombe dans ses cheveux comme dans son âme », mais je dois dire que les nuages m'ennuient particulièrement. Tout le monde applaudit…c'est une vie dont je rêve, si je pouvais seulement avoir un grand manteau rouge et vivre pour toujours dans la piété et l'élégance d'un couvent entièrement drapé de velours… »

Mais Julien Laforêt semblait m'inspirer plus d'irritation que de respect lorsque je parlais de lui dans mon cahier : « Avec ses cheveux en brosse et son nez comme un bec d'aigle, il a l'air gentil comme ça et on vou-

drait le croquer comme un bonbon rose,
mais si Romaine Petit-Page savait comme
c'est un chat hypocrite, au fond, ce garçon-
là ! C'est un tigre qui se cache. Moi j'ai pas
peur de lui, c'est seulement un péteur de
broue. Tu parles d'un chanceux, Romaine
Petit-Page l'appelle « mon ange blond, mon
prince doré », c'est pas moi qu'on appellerait
comme ça. C'est parce qu'il a une grosse
tête et qu'il parle bien. Après la fête des
monseigneurs, on est tous allés au restaurant
de la Boule manger des gâteaux et de la crème glacée. Julien Laforêt parlait encore
d'une voix fâchée, mais moi je dis jamais
rien avec la bande de Romaine, j'ai trop peur
de pas savoir comment parler... » Julien
pouvait aussi exaspérer Romaine Petit-Page
lorsqu'il exprimait, en martelant ses phrases
de coups de tête obstinés, « une grande admiration pour nos politiciens »... Délaissant
la main de son fiancé qu'elle caressait sur la
table, telle une pomme dont elle eût mélan-
coliquement cajolé la forme, Romaine se
dressait sur sa chaise avec indignation :

— Ah ! taisez-vous, disait-elle, vous n'êtes qu'un enfant... Je dirais même... un nourrisson ! Vous n'étiez pas au monde quand nous, malheureux poètes, n'avions pas même la liberté de lire Balzac. Vous aimez donc cette ignorance de nos politiciens ? Non, ce n'est pas possible. Je vous connais. Vous êtes intelligent et pur, vous aussi. Ne changez pas. Ne quittez pas notre univers. (Elle touchait du bout des doigts la nuque de son fiancé souriant et impassible.) Ah ! troublant parallèle des cœurs qui battent hors de l'heure, dans l'éternité du beau et de l'espoir...

— Quand un homme est là pour gouverner, dit Julien sèchement (il avait baissé les yeux, toutefois, légèrement effrayé par son amie), c'est son devoir de dominer, d'écraser son peuple. C'est un être de vie, de mobilité, de souplesse comme l'océan, comme la mer ! Il brise tout sur son passage. D'ailleurs, Platon qui est un philosophe de vie...

— Mangez votre gâteau, mon chéri...

— Le chef politique, après tout, n'est pas un pasteur chargé de la sauvegarde de son peuple — non, il est l'homme qui sait, l'homme qui peut, le maître d'une force suprême !

Romaine Petit-Page regardait Julien sans l'écouter, songeant avec nostalgie aux heures du passé où Julien, soumis et adorateur, avait joué dans son *Théâtre Ambulant pour la Jeunesse*, au temps où elle écrivait elle-même les pièces qu'elle jouait, réalisant dans les salles paroissiales des villages perdus, pour un public qui ne savait souvent pas lire ni écrire, ce rêve de la vertu et de l'innocence, dont Julien, parmi d'autres collégiens, incarnait pour elle la dérisoire passion de pureté, car devant un visage de chérubin, elle cédait malgré elle à la mythologie de son œuvre, et victime de son imagination, elle aimait en Julien ce qu'elle idolâtrait en elle-même, mais de tous les amours, l'amour de soi, toujours menacé par la vie, lui semblait encore le plus douloureux comme elle l'écrivait elle-même dans ses lettres à Julien : « Mon âme d'enfant, c'est vous qui la portez. N'en cassez jamais le fil vierge. Vous êtes pour moi la rose et l'épine nécessaires. » Elle voyageait auprès de son fiancé taciturne et gracieux et tous les deux écrivaient à l'étranger des romans dont ils ne cessaient de vivre le thème dans l'existence quotidienne, leurs regards et leurs mains se rencontrant toujours dans la même extase, un bonheur sans trouble dont ils connaissaient seuls l'exquise jouissance. Complice de cet amour exilé, Julien recevait encore les lettres de Romaine. « Ne m'oubliez pas, suppliait-elle, priez pour moi, mon petit Julien chéri que j'aime tant, que j'aimerai toujours, je revois votre visage baigné de larmes à l'heure de notre départ, cette absence sera dure pour vous, je le sais ! Comment osez-vous m'écrire que l'amour de mon fiancé est contre vous ? Mais vous êtes une partie de Louis et moi. N'avez-vous pas aimé Louis comme un frère idéal, un frère aîné supérieur à vous ? Nous serons toujours là pour vous aimer, vous qui n'avez pas de parents. Je ne vous connais pas vraiment, écrivez-vous aussi ? Mais ce n'est pas vrai. Je vous imagine, je rêve à votre image, n'est-ce-pas déjà ce que vous êtes pour moi ?

Imaginer un être fictif, c'est déjà frôler cet être, vivre de ses qualités magiques. Celui qui, sans le savoir peut-être, nous donne le goût de créer, d'inventer, n'est-il pas quelqu'un qui mérite d'être aimé ? C'est ainsi que je vous aime. Mais dans cette région haute où règne mon affection pour vous, rien ne peut vous atteindre, nous sommes miraculeusement amis. Il faudra un jour, quand vous serez grand, faire un beau voyage tous les trois. Pourquoi se priver de cette joie toute pure, doux rêve de votre adolescence merveilleuse que je garde en moi, toujours intacte — car elle le sera toujours, n'est-ce pas, cette partie de moi qui est tendre et naïve, toujours émue par les pluies du printemps... Vous vous souvenez mon chéri de cet été féerique... »

Romaine aimait sincèrement ceux qu'elle invitait à partager son royaume artificiel, et Julien, qui l'avait d'abord admirée pour ses nombreux talents, mais dont l'admiration commençait à faiblir, eût bien voulu l'aimer avec la même dévotion, mais l'ornement de cette amitié, la coquetterie dont elle était pa-

rée, avaient perdu pour lui leur séduction.
Ce voile éthéré d'un rêve de tendresse, « ce
rêve ténu comme un secret qu'on chuchote à
l'oreille », disait-elle, il l'éprouvait maintenant comme une étoffe poisseuse sur sa vie,
une menace à la rigueur intellectuelle à
laquelle il aspirait. Mais comment ne pas
éprouver pour elle, en même temps, la pitié
que vous inspirent les gens qui se sont humi-
liés devant vous, dont l'innocence n'est qu'un
ridicule vêtement de noirceur jeté sur la vie
réelle qu'ils ne pourront jamais comprendre
ni accepter ? « Ces heures d'autrefois ne
reviendront plus », pensait Romaine Petit-
Page en regardant Julien qui dévorait son
deuxième gâteau — et cet appétit sensuel
l'offensait comme une trahison — « Il m'aime moins peut-être avec mes cheveux longs,
pourtant je ne change pas et mon amour est
immuable pour lui... Les gens qu'on aime
ne changent pas... » Puis elle me regardait
avec douceur, avide de cette image d'elle-
même qu'elle cherchait au fond de mes
yeux :

— Vous savez que j'ai pleuré des larmes abondantes, de vraies larmes de source en lisant votre poème sur la mort de Séraphine. Mon fiancé était près de moi et nous versions des larmes recueillies et vaines, je le sais bien... car il est trop tard, Séraphine a franchi le portique des colombes, elle a suivi la trace des anges... Mon Dieu, déjà six heures et je dois chanter pour les petits à la radio, à sept heures, il faut partir mes amis... N'oubliez pas vos calendriers, Pauline...

Mais je n'étais plus triste en me séparant de Romaine Petit-Page et de ses amis. Julien Laforêt me serrait violemment la main sans me regarder :

— Souvenez-vous toujours de nos princes de l'Eglise dans toute leur majesté, cet après-midi, n'oubliez jamais la dignité de ce spectacle !

Je courais vers la rue chaude, déserte...

Ce mur social qui semblait avoir toujours protégé les riches de notre regard ne tombait-il pas parfois, quand l'une de nous, en vendant des calendriers, pénétrait le secret des familles, s'approchait furtivement du salon où jouaient des enfants bien vêtus — les restes d'un repas parfumé traînaient encore sur la table — et restait là, émue et tranquille, au seuil de la maison qui livrait ainsi ses habitudes, sa confortable agitation ? La petite fille qui lisait, couchée près de son frère, celle qui ressemblait à une longue bête avec son cou agile et ses jambes trop fines, était-ce bien vers celle qui n'était que de passage qu'elle levait ce regard confiant et moqueur ?

— Tu vas voir. Ma mère va te raconter sa vie. Comment tu t'appelles ?

— Pauline Archange.

— C'est pas un nom à coucher dehors comme le mien. Bellemort. Michelle Bellemort. On prononce *Bellemare* pour ne pas porter malheur, tu comprends. J'aime donc pas l'étude. J'ai été un an couchée sur une planche, à cause de mon dos. J'aime seulement regarder par la fenêtre.

La mère sortait de son corsage généreux un petit sac rempli de pièces de vingt-cinq sous :

—Le docteur et moi, nous aimons encourager les scouts. Ils tiennent toujours la bannière pour la fête du Saint-Sacrement au mois de mai...

—Non, Madame, c'est les croisés de Jésus qui tiennent les bannières. Nous autres, on meurt pour la patrie.

—Ah! bon! Mon mari et moi nous encourageons toutes les bonnes causes. Sans exception.

Elle se tournait alors vers sa fille :

—Amène-la dans ta chambre pour lui montrer tes livres, enfant gâtée. Nous avons eu bien peur de la perdre, vous savez, si elle n'est plus infirme aujourd'hui, c'est un miracle. C'est parce que son père et moi nous l'avons aimée à la folie. Et on dit que l'amour et les prières sont capables de guérir. Ce qui est vrai. Elle ne s'intéresse plus à rien. Elle fait pourtant ses études chez les Ursulines de la Divination, mais elle ne veut pas apprendre. Nous lui donnons tout ce qu'elle veut, le docteur et moi. Une bicyclette, imaginez-vous! Si j'avais eu un pareil cadeau à son âge... enfin, moi je n'étais pas aimée à la folie, mais aimée avec mesure, ce qui est toujours plus sage. Vous voyez comme elle a grandi, malgré tout, tout en étant couchée comme une pauvre morte pendant un an ! Elle est toute en jambes, maintenant !

— Je l'avais dit, maman, que tu raconterais ta vie, hein ?

— Et avec ça qu'elle a toujours raison ! Tu n'as donc pas compris que le bon Dieu, dans sa miséricorde, et ennuyé sans doute comme je le suis moi-même de te voir toujours immobile à la fenêtre de ta chambre, rêvant à je ne sais quoi, le bon Dieu, n'en pouvant plus d'impatience et de bonté, t'envoie une amie.

— J'ai pas besoin d'une amie, maman. Je regarde par la fenêtre.

— Ah ! Et que vois-tu de ta fenêtre ? Le ciel... les nuages... rien de particulier... le fils du menuisier qui scie du bois toute la journée pour son père...

Michelle obtenait de ses parents tout ce quelle désirait, les armoires de sa chambre débordaient de robes et de souliers qu'elle ne portait pas, elle qui refusait de sortir, et cette chambre qui était pour moi le lieu du désir des choses n'était pour elle « que la prison où elle avait vécu sur le dos comme une araignée qui bouge faiblement ses pattes au soleil », et, insensible aux présents qui l'avaient entourée, elle n'avait connu qu'une seule joie dans son immobilité : « Regarder par la fenêtre... »

— C'est sur le dos que je voudrais vivre. Tu vois ce garçon de l'autre côté de la rue ? C'est le mien, mais il ne le sait pas. Il ne mé voyait pas quand je l'observais, la tête sous les rideaux. Maintenant, je suis guérie, et je perds mon temps à étudier le latin quand je serais si bien ici, à ne rien faire et à penser comme je veux ! Quand il sciait du bois pour son père, je sciais du bois avec lui, comme ça, de loin, en pensant à lui. Mais mon corps, lui, ne bougeait pas, comme quelqu'un qui ne frémit pas dans son sommeil. C'est vrai que mon dos était lourd comme une pierre quand je respirais. Mais nuit et jour je pensais à lui et mon dos faisait moins mal. Quand il avait soif et courait boire un vèrre d'eau, comme j'avais soif avec lui, moi aussi ! Les jours où je ne le voyais pas, je savais qu'il jouait à la balle dans le champ de trèfles à côté, et j'avais hâte de le revoir, tout essoufflé avec ses cheveux roux sur son visage ! J'étais si bien avec lui quand je vivais sur le dos et personne ne le savait ! Maintenant, regarde-moi, maman a raison, je suis grande comme une perche, et s'il me voyait, il ne m'aimerait pas. Mais il ne me verra peut-être jamais.

— Tu lis, des fois ?

— Non. J'aime seulement la fin des romans d'amour. En tout cas, j'ai commencé mon trousseau, mais je sais bien qu'il ne voudra jamais me marier, je suis trop jeune pour lui. J'ai rempli mes tiroirs des vieux soutiens-gorge de maman, ce sera peut-être utile un jour. En attendant ça soutient moins que l'ombre de rien. Maman dit « qu'on plaît aux hommes avec une gorge naissante », mais quand il n'y a pas de naissance, on ne va pas bien loin, je t'assure ! Je dois donc me préparer à être une vieille fille avec des moustaches et un dos crochu comme mes propres tantes. Quand j'étais couchée, j'aimais voir les enfants qui marchaient vers l'école, il me semblait que je pourrais les suivre jusqu'à leur banc, dans la classe, que mes yeux emporteraient mon corps comme des ailes et qu'avec mes yeux seulement, je pourrais tout voir et tout apprendre. Maintenant, je ne veux même plus ouvrir un livre. C'est comme ça quand on vit sur ses jambes, on ne sait plus ce qu'on veut.

Auprès de Michelle, qui restait encore de longues heures allongée près de la fenêtre pendant que je lisais ses livres, ne s'adressant à moi que pour me poser des questions frivoles : « Dis-moi vite si cela finit par un mariage ? Est-ce qu'il l'aime un peu malgré tout ? Je sais bien qu'elle n'est pas digne de lui, comme dans tous les romans, mais dis-moi quand même s'il a pitié de sa virginité perdue et s'il l'épouse enfin, il le faut absolument, je ne pourrai pas encore dormir cette nuit... Lis tout de suite la fin, comme ça, tu vas tout savoir... » je découvrais ce songe intérieur qui l'avait hantée si longtemps à la fenêtre et je comprenais pourquoi elle n'avait jamais eu un regard attendri pour toutes les choses qu'elle possédait, elle ne désirait plus des jouets ou des livres, elle désirait les êtres, et la distance qui la séparait du garçon inconnu dont elle avait observé tous les gestes, cette distance devenait pour elle un tel lien de délicatesse et de pudeur qu'elle ne savait plus comment la briser pour le rejoindre... « C'est une histoire absurde, disait la mère lorsque j'étais seule avec elle, et d'abord, Mademoiselle, est-ce qu'on aime à votre âge, dites-moi ? Non, ce n'est pas possible. Ou bien l'amour est une névrose. Michelle a toujours été précoce, sans être très intelligente, car elle n'a jamais bien réussi chez les Ursulines. Elle a toujours pensé au mariage, ce qui n'est pas normal. Et son père et moi qui avions tant rêvé d'en faire une femme de carrière... Le mariage n'est pas une vocation, dans la vie. Mais dites-moi, Pauline, si elle l'aime, le fils du menuisier, elle n'a qu'à traverser la rue, elle le verrait de près ce qui lui ferait du bien, il a des taches de rousseur sur le nez, c'est un petit sans avenir, et dire que j'avais rêvé pour elle d'un professionnel! Enfin, comme vous le savez, je serais prête à lui donner la lune, et si elle soupire encore dans dix ans, elle l'aura, le fils du menuisier! Mais elle pourrait tout de même attendre, j'ai attendu jusqu'à la maturité de tout mon être, moi! La morale de tout cela, Mademoiselle, c'est que le docteur et moi, nous avons trop adoré notre fille, et le bon Dieu qui est très jaloux, nous le savons, nous punit du haut du ciel!»

Les heures que je passais à lire, dans la chambre de Michelle, étaient souvent interrompues par ma mère, qui, lasse de me téléphoner, décidait de venir me chercher elle-même, chez Madame Bellemort, mais c'était pourtant avec une timidité semblable à la mienne qu'elle franchissait ce seuil, cachant la tête de Jean dans sa jupe, elle demandait humblement :

— Pauline Archange est ici ?

— Entrez donc, Madame, je vais l'appeler. C'est une bonne petite … cette Pauline, je l'aime beaucoup !

—J'ai toujours **pensé qu'elle** avait le cœur dur comme un roc, répondait ma mère, puis elle se taisait avec méfiance.

Madame Bellemort se penchait vers Jean, elle lui touchait la joue maternellement :

—Comme il est pâle ! Est-ce qu'il va bien ?

—Il a une oreille qui coule, on sait pas pourquoi.

—Je vais appeler mon mari. Le brave homme n'a pas de patients et il s'ennuie. C'est un rêveur, comme sa fille. Savez-vous ce qu'il fait, Madame, toute la journée ? Il regarde ses crayons et ses dossiers et il pense. Ce n'est tout de même pas raisonnable. Quand il pourrait sauver l'humanité entière ! Quelle famille ! Heureusement, je suis la secrétaire et l'épouse du docteur et je ne le laisse pas rêver du matin au soir, je lui trouve des malades. Passez donc là, dans le corridor et puis dans son bureau à droite : je vais le sortir de sa rêverie. Parfois, c'est long. Dans sa création si belle, si parfaite, avouez, Madame, que le bon Dieu a créé des animaux bizarres...

Sur le chemin du retour, ma mère nous grondait amèrement sous le regard des voisins, lesquels semblaient nous suivre avec le bercement de leur chaise, sur le balcon...

— Mais à quoi donc que tu penses, être amie avec la fille du docteur de la paroisse ? (Puis elle secouait l'épaule de Jean qui pleurait doucement) Toi, mon Jeannot, t'es la cause de mon humiliation devant ces gens-là ! T'aurais pas pu me le dire, non, que tu mangeais ta couverture, la nuit ? J'pouvais pas le deviner, j'ai pas seulement toi au monde à penser ! As-tu déjà vu ça se remplir l'oreille avec des morceaux de laine et du linge ? T'étais en train de devenir sourd comme un pot, le docteur a dit. Tu me déshonores. Non seulement t'as sucé ton pouce jusqu'à qui devienne petit comme un pois, jusqu'à l'âge de trois ans, mais maintenant qu'on t'a guéri de c'te manie-là avec des mitaines, tu en commences une autre ! Tu te fais des nids dans les oreilles comme si t'étais un oiseau, pleure pas, c'est inutile...

125

— C'est parce qu'il a besoin de distractions quand y dort, c'est la mère de Michelle qui a dit ça.

— Toi, je t'ai pas demandé ton avis, Pauline Archange. Quand je pense à la disgrâce de tout ce qui sortait de cette oreille-là... Qu'est-ce qu'ils vont penser de nous autres, ces gens-là ?

Il y avait dans les réprimandes de ma mère, sous son apparente sécheresse, une noblesse si touchante à vouloir nous protéger de l'humiliation que ce sentiment me faisait mal pour elle. Je retournerais encore chez Michelle, mais désormais il y aurait « un moment de honte » entre nous ; en pénétrant le secret de l'oreille cireuse de Jean, on avait pénétré notre négligence, notre misère...

TROISIEME CHAPITRE

Quand je disais à ma mère: «Nous autres, on fait une séance dans le hangar, ceux qui veulent venir, ils n'ont qu'à payer cinq cents par tête!», elle s'écriait alors dans son indignation jalouse:

— On dirait que tu sais plus quoi inventer pour être égoïste, je te le dis, Pauline Archange, ton père n'aimera pas ça quand y va découvrir que t'as encore pris son chapeau de castor pour faire du théâtre. Hier, tu volais les draps pour t'faire des draps de scène, y a tout de même des limites! Ton père va chasser tout ce monde-là qui nous arrive dans la cour, sur leurs bicyclettes et ce sera fini, net comme j'te parle, tes séances!

Mon père défonçait nos décors de carton, me dépouillait sur la scène « du manteau et du chapeau de saint Christophe marchant sur les eaux...»; il exprimait ainsi, peut-être, la crainte de l'imagination que je lui inspirais, impatient de détruire en moi ce qui le menaçait en lui-même.

— Ça va te montrer qu'y faut pas se prendre pour le nombril du monde ! Tu les as vus déguerpir comme des guêpes, hein, tes amis ? ' T'as compris, j'veux pas de séances dans ma cour ! As-tu compris une fois pour toutes ? T'as la tête plus dure qu'une mule mais c'est moié qui va gagner ! Mon père, lui, y gagnait toujours ; quand y disait à droite, on allait à droite et pas d'histoires ! On était à genoux devant lui parce qu'on le respectait. Mais les enfants d'aujourd'hui respectent plus rien, pas même leur père qui est sacré ! T'as même trop d'orgueil pour t'mettre à genoux devant moié le matin de l'la bénédiction du jour de l'An ! C'était pas comme ça chez mon père. On s'jetait à ses pieds tous les gars ensemble pour avoir sa précieuse bénédiction, tous les seize, ouais !

On avait pas des cœurs sans reconnaissance, nous autres ! On vénérait nos parents jusqu'à la pamoison et jusqu'à l'adoration, même quand on était battu. Y a la nécessité de punir quand c'est l'temps ! Prends ta leçon pis cesse de bougonner. Mon beau chapeau de castor de cinq piastres, ma parole, tu penses qu'j'suis un millionnaire !

Et il ajoutait, excitant davantage ma colère :

— Ta grand-mère, ça, c'était une femme de talent ! Elle savait traire les vaches et pis tout faire comme dix hommes ! Elle était debout à cinq heures, elle travaillait, elle, elle traînait pas par les rues, elle, j't'assure ! Et pis c'était une vraie raconteuse, pas de rideaux, pas de scène, avec elle, elle vous parlait tout cru dans la figure avec sa marmaille autour, l'soir, près du feu, sa couture sur les genoux, le visage tout plissé par le froid, et quand elle commençait à parler, j'te mens pas, les bébés cessaient d'brailler dans leur ber, c'était pas des choses inventées, elle, qu'elle disait, c'était des contes avec de l'eau et des arbres, ça n'avait pas de fin, elle savait pas même lire ni écrire, mais elle parlait cent fois mieux que tous les livres que tu lis !

L'austère silhouette de ma grand-mère debout « au bord de son champ », couvrant l'horizon de son regard décidé, l'esprit lourd et sans rêve que j'imaginais sous ses cheveux rares ne cachait pas pour moi ce mystère dont parlait mon père. Sur son lit d'agonie, sa grosse tête enfouie dans l'oreiller, elle regardait son petit-fils Jacob qui tuait les mouches en les enfermant vivantes dans un bocal et grognait amèrement :

— Regarde ces vieilles mains sur le drap, Mon Dieu, elles feront plus rien à ton service ! La faux va les couper comme des racines noires ! Toié aussi on va te couper à la racine, mauvais Jacob qui vis avec les porcs. J'm'en vais prier pour ton âme au paradis et t'garder pour toujours sous mes yeux comme font les fantômes. Compte sur la miséricorde du bon Dieu quand même t'aurais péché mille fois. Des mains tordues, paralysées ! Si c'est pas un malheur de mourir ! Toié, Jacob, va me chercher de l'eau, j'm'étrangle dans mes prières. Qu'est-ce qu'elle va dire la Sainte-Vierge quand elle va voir mes vieilles mains qui ont tant changé, elle qui a de si belles mains, à ce qu'y paraît... Va-t-en donc, mauvais Jacob, c'est pire qu'une malédiction t'avoir dans la chambre et y faut que j'pense à mon repentir, toié t'es un possédé, ton père l'a dit, y faut donc que j'm'éteigne toute seule comme un lampion pour le rosaire, au mois de mai, va-t-en, toié, j'veux donc pas que tu m'vois m'éteindre avec ma figure en grimace...

Ma grand-mère emportait dans la mort une vision du monde bordée de forêts noires et le souvenir de cette campagne désolée, laquelle lui semblait habitée par les quelques êtres qu'elle avait mis au monde (car dans le silence de la mort c'est à peine si l'on entendait leurs chuchotements près du lit), ce souvenir était pour elle un souvenir heureux.

— Oui, ta grand-mère a soupiré quatre fois : « C'est mon champ qui s'en va ! Mon champ qui produit rien de bon, mais c'est ma terre qui s'en va, c'est la faux qui passe des-

sus ! » Tu peux pas comprendre ça les sentiments, Pauline Archange, t'es trop gâtée !

— En tout cas, moi j'serai pas une cruche
comme grand-maman qui savait même pas
lire et qui signait son nom avec une croix,
c'est de la vraie honte à soixante-dix ans !
Julien Laforêt, y a appris à lire et écrire
quand y avait quatre ans, et tout seul, à part
ça. Il était pas plus haut que trois pommes
et il écrivait son nom sur une ardoise ! - Mon
père haussait les épaules sans répondre. Je
pensais soudain à Julien avec envie. On le
respectait, on l'aimait. Les beaux soirs d'été,
à la campagne auprès de sa famille, debout
sur un rocher, il lisait ses dissertations françaises à ses sœurs qui l'écoutaient en trem-
pant timidement leurs pieds dans la rivière.
Vêtu d'une brève culotte bleue, les bras levés
vers le ciel, il discourait « sur la nature qui
l'écoutait... Ah ! mes sœurs, écoutons la
campagne à notre tour, soyons attentifs au
chant de la source comme à la mélodie de la
voix humaine... Ne ris pas, Gabrielle, la
nature est grave et je suis sérieux. Je par-

lais donc de la tristesse chez Chateaubriand, vous me suivez ?

— Oui, répondaient-elles en chœur.

— Les devoirs de vacances sont les plus beaux ! J'imagine déjà la joie de mes professeurs lorsqu'ils liront ceci : « Jusqu'à quel point la mélancolie de Chateaubriand est-elle chrétienne ? » (Car je suis un lèche-curé.) Lorsque Chateaubriand, croyant résumer sa conception du christianisme, déclare : « Le chrétien se regarde toujours comme un voyageur qui passe ici-bas dans une vallée de larmes et qui ne se repose qu'au tombeau », il exprime une vérité profondément chrétienne...

— Oui, oui... répétaient ses sœurs.

— Taisez-vous ! Oui, pour nous, fidèles du Christ, il n'y a qu'une seule réalité, notre salut ! Et ce salut éternel doit canaliser tous nos efforts... (Menteur et courtisan, va !) Bien sûr, cela n'émeut pas vos âmes féminines, mais je continue, car la campagne céleste m'écoute. Cependant, Chateaubriand oublie que si, d'une part, notre fin ultime et nécessaire est le bonheur du ciel... d'autre part, nous devons tendre de toutes nos forces vers le bonheur ici-bas. Selon saint Thomas d'Aquin, il faut le construire progressivement, sachant bien cependant qu'en ce monde, nous ne pouvons le goûter qu'imparfaitement, incomplètement, devrais-je dire. Et si le christianisme nous détourne des choses de la terre, c'est seulement lorsque nous les croyons une fin en elles-mêmes ! Au contraire, c'est lui qui nous apprend que, parce qu'elles viennent de Dieu, notre créateur, elles ne peuvent que nous diriger vers Lui... L'un des plus grands saints, saint François d'Assise, n'était-il pas un saint joyeux ? (Mon professeur dirait : « Avec saint Thomas d'Aquin et saint François d'Assise, vous êtes en bonne compagnie ! ») Vous, mes sœurs, animaux inférieurs de la création, n'avez-vous jamais senti la mélancolie de Chateaubriand ?

— Oui, oui, oui.

— Alors, c'est très mal. Souvenez-vous que cette tristesse vague n'est pas chrétienne en son essence, puisque l'espérance du chrétien fervent exclut la tristesse des passions.

Et qu'est-ce que la passion ? C'est un sentiment noble qui exige une grande élévation
d'âme. Ainsi la définit mon amie Romaine
qui admire Lamartine. Ainsi, dit-elle, « le
poète des *Méditations*, dans ses vers constam-
ment dépouillés de sensualité, ne s'abîme pas
dans des descriptions physiques de l'être
aimé dont il ne parle toujours qu'avec discré-
tion, effleurement ». Mais vous, mes sœurs,
méfiez-vous de l'effleurement, c'est dange-
reux. Songez plutôt à l'union de deux cœurs,
de deux âmes :

> *Comme deux soupirs confondus*
> *Nos deux âmes ne forment plus*
> *Qu'une âme ...*

Ah ! le soleil se couche dans sa robe
papale ! Comme c'est beau ! A travers
l'être aimé, me disait Romaine, hier, « il faut
voir Dieu qui est notre palier vers la lumière.»
Enfin ! Mais l'être aimé vient-il à disparaî-
tre, quelle douleur pour le poète ! « Le soleil
des vivants n'échauffe plus les morts. » Regardez le soleil qui disparaît derrière la montagne, vous ne le reverrez plus ! Quand vous

vous déshabillez, le soir, pensez-vous à cela parfois ? Que le jour achevé ne reviendra plus ! Telle est la durée éphémère des jours heureux, ils fuient inexorablement.

— Oui, oui, oui ! »

J'allais parfois chez Julien, avec Romaine Petit-Page et ses amis « faire des piqueniques d'art » comme elles les appelait, ces heures étaient mélancoliques car je ne sentais pas en moi la grâce des sœurs de Julien à qui Romaine apprenait la danse sous les arbres, ni l'effervescence de son fiancé Louis, dont la chevelure touffue, les yeux chavirés, jetaient sur la platitude des poèmes qu'il récitait un halo romantique :

O mes muscles, vous dormez,
Comment vous éveiller
De cette incubation ?
Vous dormez, comme l'huître,
On blesse l'huître pour la perle,
Mais l'huître enrichie d'une perle
N'est-elle pas enrichie d'une
　　　　　　[faiseuse de perles ?

La perle correspond à son huître
Comme le coup de couteau
Au ventre ouvert,
Combien pathétique cette acceptation
                              [du motif
Qui accepte le coup,
On coupe la branche qui ne participe
pas à la mission de l'arbre,
O Arbre, ne condamne pas ta branche
C'est le bras de Dieu qui s'agite...

—Ah ! soupirait Romaine Petit-Page, comme il faut aimer pour écrire ainsi ! Combien de fois ai-je senti, moi aussi, mon Louis bien-aimé, un poème en gestation dont le désir paralysait même mon expression. J'allais très humblement à sa recherche, et j'en rapportais, pauvre pêcheuse de lune, une relique imprévue, oui, un véritable reflet d'infini, Mais n'est-ce-pas toujours ainsi ? Car créer, c'est s'approcher du ciel, « si vous n'êtes pas comme le plus petit d'entre les miens, dit Jésus, vous n'entrerez pas dans mon royaume ». Il faut être un enfant pour aller au ciel après la vie humaine, n'est-ce-pas Julien ?

— C'est un fait que la science n'a pas encore confirmé, dit Julien, d'ailleurs... toutes nos actions humaines...

— Bon. Assez. Laissez parler les grandes personnes, mon chéri. Je dirais même que mon fiancé a le génie de l'enfance. Il sera un grand poète. Vous vous souvenez, Louis, de nos radieuses nuits d'illumination à Paris ? Je vivais des expériences... merveilleuses ! Un mariage de poètes est une union si pure, le corps des poètes n'est que parfums et élégance ! Je me souviens de votre tête, Louis, qui reposait sur mon épaule, un autre adolescent, très beau, très mince, un jeune écrivain comme nous, lui aussi, dormait sur mon lit. Nous l'avions peut-être recueilli dans la rue car je ne me souviens pas de ce qu'il faisait là, dans ma chambre. Mais je me souviens de cette visitation divine qui liait nos gorges, déchirait nos poitrines, ce souffle que j'avais toujours accueilli seule, tout effrayée et émue dans mon indignité, cette présence de la bonté, du divin appel, de la certitude, tout cela, dont je vous parle en tremblant, car j'éprouve encore beaucoup de vertige à parler de moi, une sorte de pudeur, vous comprenez ? Eh bien, cette souffrance, je la partageais enfin avec mes deux compagnons. Je la retrouvais dans vos yeux de biche, Louis. Dites-moi que vous la ressentiez aussi. Car je vous ai vu, mon ange, vous transformer devant moi, respirer dans l'au-delà, vous aussi, tendre les mains pour saisir une forme de beauté si évidente qu'elle semblait là, près de nous, modelée dans le vide comme un nuage, et transie, étranglée d'un silence supérieur, je vous regardais, mon amour, avec le respect qui nous vient devant le geste du prêtre. Oh ! Julien, vous êtes orgueilleux et précoce, vous ne pouvez pas comprendre l'innocence de mon petit Louis, la douceur de ses poèmes ! N'est-ce-pas, Louis, que cet instant était si beau entre nous, à Paris, si étrange que nous avons pleuré tous deux de nos limitations en remerciant Dieu de sanctionner ainsi l'œuvre à faire avec des moyens si humbles ! Comme je voudrais qu'ils sachent cela, tous ces autres, ces artistes torturés, que je voudrais leur dire que pour eux, surtout, « le Seigneur est un berger ». Combien me faudra-t-il accomplir de choses pour mériter d'avoir vécu une telle heure ?

— Allons cueillir des pommes, dit Julien Laforêt, tendant vers moi sa main impérieuse, allons, ma petite Pauline !

Je marchais silencieusement à ses côtés mais il s'écria :

— Taisez-vous, Pauline, les femmes devraient toujours se taire. Quand j'écoute notre amie Romaine, j'ai toujours faim, je veux manger des pommes, j'aime la vie terrestre, moi ! Mais vous, Pauline, écrivez des mauvais poèmes mais je vous défends de les lire à haute voix : c'est trop pénible. Vous bâillez ? Reposez-vous donc ici, sous cet arbre, je vous parlerai de Platon. Ne vous rongez pas les ongles, c'est une mauvaise habitude. Il fait si chaud et si bon ! C'est un beau jour pour penser à Platon ! Regardez le soleil qui brille à travers les branches, telle est la vie qui passe et ne revient plus ! La pensée de la vieillesse m'obsède beaucoup. Et vous aussi, peut-être. Mais quand il fait beau, je pense à Platon. Platon et l'amitié. Un jour, ce sera le

sujet de ma thèse. Je pense à cela sans cesse.
J'ai déjà trois carnets remplis de notes et
jusqu'ici, je ne les ai montrés à personne.
J'ai un ami, André Chevreux. Il sera peut-
être digne de les lire un jour. Mais sa sensibilité est supérieure à la mienne car il a l'humilité chrétienne que je ne pourrai, hélas,
jamais acquérir. Et la grande question qu'il
faut précisément se poser, ma chère Pauline,
est celle-ci : « Ce qui rapproche deux êtres,
est-ce le fait d'être semblables ou contraires
l'un à l'autre ? » Homère a pourtant déjà
répondu à cela, en laissant entendre que
l'identité, la similitude est ce qui pousse les
individus les uns vers les autres. Mais le vertueux rechercherait-il ceux en qui il trouve la
vertu ? Pas toujours, je le crains. Et on dit
que l'homme bon, dans la mesure où il est
bon, se suffit à lui-même, bonheur qu'il m'arrive même de connaître, mais brièvement.
Fermez les yeux, Pauline, je n'ai pas besoin
de vous : je sais que vous m'écoutez dans
votre sommeil. Il importe donc pour moi
de saisir le mouvement de la pensée de Platon
et de rechercher la raison d'être de l'amour.

Et l'amour est la recherche du bonheur. Et la recherche du bonheur est l'enfantement dans le beau. Socrate explique que tous les hommes sont féconds selon le corps et selon l'esprit: découverte heureuse. Aussi, quand vient l'âge, ont-ils le désir d'engendrer. C'est l'œuvre divine car, dit-il, par l'engendrement qui le perpétue, l'homme participe à l'immortalité de la divinité. Et vous, vous dormez, Pauline! Cet enfantement, pour sa réalisation, demande la présence de la beauté et de l'harmonie car « le laid ne s'accorde jamais avec le divin tandis que le beau s'y accorde! » L'amour devient donc une recherche du bien. Ce désir du bien qu'a tout homme implique donc de sa nature un vœu d'immortalité. Et, il faut en convenir, c'est cette immortalité que recherchent l'homme et la femme en s'unissant. Mais, comme je le disais plus tôt, l'homme est aussi fécond selon l'esprit, ce qui sera, je l'espère, Pauline, ma fécondité et la vôtre. Vous êtes malheureusement encore dans les limbes de l'enfance, mais l'âpre maturité nous guette tous! Enfin, notre esprit peut engendrer à son tour la sagesse, la prudence, la justice, toutes les autres vertus ainsi que toutes les œuvres des poètes et des artistes. Quelle riche procréation ! Telle est « la vocation de l'amour », mais d'un amour selon l'esprit, bien entendu. Nos passions érotiques doivent donc se transformer en des sentiments mystiques, ce que m'a appris notre amie Romaine, mais je me demande parfois si elle a raison.

Quand je tombais de sommeil pendant les discours de Julien, il me laissait seule, la tête appuyée contre un arbre, puis il venait vers moi quelques minutes plus tard, les bras chargés de pommes qu'il laissait tomber à mes pieds en riant :

— N'ayez pas peur, c'est moi ! Ces pommes sont délicieuses, c'est la cinquième que je mange... Oui, comme je vous le disais il y a un instant, quel est donc le rôle du philosophe en ce monde ? Avons-nous seulement un rôle ? Nous ne sommes pas, comment dire, « des marchands de culture », ce qui serait une noble mission — mais notre devoir n'est-il pas de guider les hommes vers la vérité ? Ce qu'il faut bien savoir, c'est que le sage, et ici, le sage, c'est moi — lorsqu'il est parvenu seul à la contemplation des grands mystères, se doit de revenir à ses frères moins fortunés, donc à vous, ma petite Pauline, pour les entraîner malgré eux « à la saisie de l'Etre ». Ah ! comme je rêve d'être cet homme qui délivre les humbles de leurs ténèbres. Délivrer les autres de la vérité qu'ils portent en eux ! Cette vérité enfouie en vous-même, Pauline. Mon âme, comme l'âme des philosophes, mon âme est grosse mais en même temps je suis la sage-femme, l'accoucheur des esprits et celui qui les éveille à leur mission libératrice en ce monde !

L'innocence dans l'amour dont parlait sans cesse Romaine et ses amis, me rendait honteuse de mes secrets, car auprès d'eux, craignant la dureté de leurs regards sur ma vie, je me taisais. Ils ne pouvaient pas comprendre un secret plus troublant que la mort de Séraphine. Ce n'était que l'histoire d'un viol mais je ne songeais pas à la raconter à personne, ni à Julien Laforêt dont le regard semblait bondir légèrement au-dessus des gouffres de la conscience, ni à Romaine Petit-

Page qui me souriait d'un air de pénétrante bonté. Benjamin Robert avait dit « qu'il éveillerait mon cœur à la pitié », car pour lui, j'étais « une enfant secrète et peut-être méchante », sa singulière présence m'inspirant parfois une froideur qui le blessait, mais quand il avait obtenu une pitié que longtemps il avait mendiée, il était triste. On ne le voyait plus pendant quelques mois. « Ses supérieurs l'ont peut-être encore puni pour ses mauvaises actions ! » disait Mademoiselle Léonard d'un ton hargneux, « cet homme est capable de tout, on le sait bien ! » Germaine Léonard était plus soupçonneuse encore de la conduite du prêtre depuis le séjour de Philippe à l'hôpital, car ne pouvant détacher ses yeux « de ces deux prisonniers en liberté », elle les avait discrètement épiés et se souvenait de leur étrange conversation dans la chambre où Philippe attendait le résultat d'un examen médical. C'est là que Benjamin Robert avait raconté son rêve :

— Oui, Philippe, j'ai très peur d'un rêve... Nos rêves ne sont-ils pas toujours des prophéties ? C'était par une nuit d'hiver, j'étais encore au monastère, je crois. Je priais à genoux près de mon lit quand un homme vint frapper à la porte de ma cellule. C'était un petit homme au sourire malicieux, il s'approcha de moi et me dit à l'oreille : « Venez chez moi, venez bénir ma fille ! » Je le suivis. Il m'entraînait dans la nuit froide, puis dans un taudis sans lumière où mendiaient de maigres enfants à peine vêtus. Au bout d'un long couloir, j'ai vu, par la porte d'une chambre qui était ouverte, une petite fille de trois ans qui me souriait, assise sur un grand lit, elle était entourée d'hommes qui posaient sur elle leurs yeux avides, mais elle semblait calme parmi eux. « Dans mon monastère, elle serait à l'abri de la honte », ai-je pensé en lui ouvrant les bras. Mais elle n'avait pas compris ce geste, car elle m'ouvrait les bras en m'invitant aux gestes de l'amour.

— Quel malheur pour le prêtre qui veut s'avilir comme un homme, dit Philippe, attention, mon ami, car un jour on est chercheur du plus grand amour sur la terre pour devenir chercheur du plus grand malheur, de la plus grande catastrophe, et on voit que dans le malheur une foule de liens que l'on voulait briser se resserrent autour de votre gorge pour vous étreindre avec plus d'angoisse encore... Par compassion, par orgueil aussi, vous serez à la frontière d'un crime...

Benjamin Robert dirait plus tard qu'il n'avait pas cédé à l'orgueil « mais surtout à la luxure », comportement qui lui semblait obscur après plusieurs années... Cet homme ne ressemblait pas aux autres dans ses faiblesses, car même lorsqu'il provoquait le dégoût par l'audace de ses actes, il lui arrivait d'attirer encore les êtres dans sa bonté. Pour Germaine Léonard, « cette bonté dans le vice » n'était pas une vertu, car elle disait sèchement :

— Il ne faut pas prendre les vessies pour des lanternes ! Un homme égaré ne peut pas être bon !...

Benjamin Robert souffrait d'insomnie, et lorsqu'il séduisait les êtres, n'était-ce pas pour lui dans cette inconsciente rêverie qui remplaçait son sommeil, comme dans un rêve, aussi, on était captif d'un regard, d'un

sourire, lesquels perdaient soudain leur innocence pour s'insinuer en vous, troubles et
magnétiques. Ses gestes étranges vous sur-
prenaient à peine : les bras aveugles qui se
fermaient sur vous vous reposaient de l'intensité de ce regard qui vous avait longtemps
poursuivi... Tout commençait parfois par
un incident banal, tel que je l'avais écrit dans
mon cahier : « Comme y faisait beau et que
les oiseaux chantaient, Benjamin Robert
nous a amenés, Jeannot et moi, et d'autres
enfants de la paroisse, faire une excursion
dans le bois. On est tous allés se baigner et
c'était gai. On a tous chanté main dans la
main. Jeannot était fatigué et le Père Benjamin l'a porté sur ses épaules, même qu'il
avait l'air des saints sur les images avec un
mouton autour du cou. Ensuite, tout le monde a joué à cachette et le Père Benjamin a dit
de ne pas aller trop loin. Mais tout le monde
a disparu loin près de l'eau et Benjamin Robert était inquiet. J'aurais pas dû rester là,
c'est vrai, derrière un buisson à lire mon
livre, parce que Benjamin Robert fumait,
avec ses yeux qui me regardaient de loin.

— Pourquoi ne jouez-vous pas avec les autres, Pauline ?

— C'est mon affaire, si j'veux lire. J'suis plus un bébé pour jouer à la cachette.

— Insolente petite fille, venez au moins me tenir compagnie. Vous vous cachez toujours de moi...

— C'est mon affaire.

Ce jour-là, il m'a juste touché la joue et les cheveux. Les autres sont revenus en criant et en riant, puis on est tous repartis en autobus, puis tout le monde chantait dans l'autobus, pas moi parce que j'avais pas envie de chanter. »

Pendant que l'on guérissait de la maladie du dégoût, Benjamin Robert se condamnait peut-être à une nouvelle réclusion, mais dans cette solitude, il subissait la douleur qu'il avait infligée aux autres. Combien de fois ses passions trahiraient-elles la loyauté d'un cœur épris de justice ? Il n'y avait donc de paix que dans la souffrance ?

Victime ou coupable, chacun appartenait au monde sanglant de ses rêves. Dans l'un de ces rêves encore hanté par la présence de

Benjamin Robert, je touchais ma poitrine
pour découvrir avec terreur « que j'avais perdu mon cœur, qu'il était peut-être perdu dans
les cailloux comme une pièce de vingt-cinq
sous... » Puis je voyais, dans une cour enso-
leillée près d'une église, « mes amis les p'tits
marchands de journaux qui jouaient avec
mon cœur en le faisant bondir comme une
balle rouge, ils jouaient avec mon cœur sous
les branches d'un grand lilas blanc et le sang
coulait partout sur les fleurs blanches. »
Pourtant, il me semblait, en me réveillant,
que ce sang de l'injuste violence serait un
jour la sève de mes livres, car nul ne pouvait
effacer en nous la trace des choses vécues, et
cette trace, je n'étais plus la seule à la sentir
en moi...

« Oui, j'ai un cœur de mère, disait Romaine Petit-Page sous le regard étonné des
passants (elle marchait entre Julien et moi
et nous caressait affectueusement de son sourire paralysé aux belles dents), oui, je vous
le dis ce soir, en cette soirée d'automne et
d'adieu, j'ai un cœur grand comme le monde,

de chaque être... (« Et toujours le même », pensait Julien, d'un air morose...) Et maintenant, comme deux oiseaux tremblants qui quittent la chaleur du nid, nous devons partir, mon fiancé et moi, vous laisser seuls ! Priez pour nous, que Dieu nous protège dans cet avion, nous portons tant d'œuvres futures sous nos fronts blancs, tant de visages aimés, aussi ! Hier encore, après les vêpres, je rencontrais deux jeunes Allemands beaux comme le jour, nous avons joué de la guitare, ri et chanté... Comment oublier cette certitude d'être indispensables à tous, et cela sans orgueil ! Non, je ne vous oublierai pas tous les deux, sur le sable brûlant de Majorque, le sable de mes rêves. Vous vous souvenez de ce vers de Victor Hugo qui parle du cœur des mères ? De la façon dont le cœur des mères disperse l'amour ?

Chacun en a sa part et tous l'ont en entier... Je me sens si vite responsable des autres, mais quelle est donc ma part de responsabilité dans ces élans que je ne peux refréner ? (Julien ne répondit pas. On n'entendait que le bruit des feuilles mouillées

153

qu'il écrasait de sa botte en marchant.) Nous avons tous besoin d'être aimés et compris, vous aussi, Julien, vous comprendrez un jour. En attendant, gardez votre fierté, votre détermination et cette noble pureté qui est votre grâce et le privilège des poètes! Les feuilles tombent et meurent! Déjà septembre, le ciel est rose comme vos joues, mon petit Julien!» Puis se tournant vers moi: «Je vous écrirai en pensant à mon passé. Vous êtes la petite fille mélancolique que j'étais, ah! la robe noire à col blanc, plis plats, corsage plat et jambes graciles... le cœur battant et la corde à sauter enroulée sur l'épaule au désespoir des gens sages qui conseillent de marcher pour aller à l'école. Tout cela, c'est vous, ma chère Pauline, et je garderai cette image de vous sous mon ciel d'aquarelle là-bas... Je vois même un petit toit de tuiles roses sous un capuchon de nuages, quelle description exquise pour un poème n'est-ce-pas? Mais il est dur de partir et de vous quitter... Serez-vous encore gentil et bon à mon retour, Julien, mon chéri? Depuis que je vous connais, vous étiez encore au berceau, vous avez peut-être été, dans ma vie, l'unique sentiment stable... Aussi, ne me refusez pas ce bonheur... Vous serez peut-être différent quand je reviendrai... vous ne serez déjà plus peut-être cet enfant romantique et poitrinaire... (Julien avait beaucoup impressionné Romaine par sa coqueluche tardive) mais je retrouverai intacts, je pense, votre cœur et votre esprit, je ne demande pas autre chose, c'est déjà l'essence de l'être ! Moi, je ne change pas de toute façon, j'ai toujours bonne mine, sans perdre ma taille bien entendu ! Oui, Julien, je vous quitte, je vous embrasserai pour la dernière fois dans quelques heures, mais je vous quitte en vous donnant la clef de mon château, vous serez le gardien d'un éternel premier amour... Ne doutez donc plus des promesses de la vie... Comme je vous le disais autrefois, en vous faisant découvrir *Le Cid* (je me souviens: je cousais en même temps une robe de dentelle bleue que vous aimiez tant), *Le Cid*, « une fleur d'amour et d'honneur », a dit Sainte-Beuve, je vous disais, je me souviens, que tout amour est un acte de foi...d'espérance...

— Quel fanatisme de l'honneur dans ce chef-d'œuvre, fanatisme qui fait oublier à Don Diègue, lorsqu'il risque la vie de son fils dans un duel, tout sentiment de l'amour paternel, sentiment si naturel, plus humain, plus grand, plus noble même que celui de l'honneur...

— Taisez-vous, mon petit Julien, vous parlez comme un vieux professeur, il n'y a que les intellectuels secs qui renient le sublime honneur de Corneille... Je pleure toujours quand je pense à l'amour de Chimène pour Rodrigue, cet amour presque religieux sera toujours le plus grand, le plus fort, et hélas, le plus combattu! Oui, il faut pleurer, les larmes n'empêchent pas toujours de voir si elles exigent toujours de s'écouler jusqu'à l'âme... »

Romaine Petit-Page et son fiancé montaient vers le ciel, leurs pitoyables mains agitant « des adieux et des roses » pendant que décollait leur avion dans une bourrasque de fumée blanche.

—Envolés ! dit Julien dans un soupir de délivrance, et nous, ma chère Pauline, comme des mouches sans ailes, nous trempons encore dans leur miel ! Demain, la rentrée des classes ! Enfin, je pourrai réfléchir, méditer, sans jamais lever le nez de mes livres, sauf pour contempler le soleil couchant tombant comme un manteau de feu sur la cathédrale, ou bien pour manger du sucre à la crème. J'aime beaucoup mes sœurs. Elles font bien la cuisine. Et vous, Pauline, vous avez l'intention d'être sérieuse comme moi ?

—Je vais vendre mes calendriers, mais pendant le jour, c'est pas drôle d'étudier avec les bonnes sœurs ! Des vraies chipies qui déchirent mes poèmes !

—Un jour je serai là pour défendre la pensée des humbles, vous verrez ! En attendant, la solennelle figure de Socrate me donne du courage. Je me couche le soir en pensant à lui. Platon, comme vous le savez, lui a voué à travers toute son œuvre un culte réel, consacrant d'abord ses écrits à racheter la fausse image que la condamnation à mort du vieil Athénien avait pu laisser à ses compatriotes, protestant ainsi de toutes ses forces contre l'injustice dont il fut la victime pour avoir voulu libérer les hommes. Cette passion émue pour le souvenir du vieillard, dont toute l'œuvre de Platon est marquée, vient de ce qu'il devait à Socrate qui le révéla à lui-même. Comme dit notre amie Romaine, « on ne renie jamais ses premiers maîtres ». Et pourtant !... Toutefois, cette amitié à laquelle Platon ne cessa d'être fidèle, il en laisse l'impérissable souvenir à la mémoire des hommes. Elle pourrait être l'illustration la plus haute de ce sens profond reconnu à l'amour humain qui, ainsi, a guidé le plus grand penseur vers les vérités les plus inaccessibles, les plus graves ! - Mais moi je pensais en écoutant distraitement Julien : « Tu parles d'une chanceuse, cette Romaine-là ! Elle fait seulement écrire des livres, embrasser son fiancé pis partir en voyage. Julien Laforêt aussi est chanceux. Toujours des médailles d'honneur et il a l'air de tout savoir comme un vrai coq. Maintenant que Romaine est partie pour les honneurs, il voudra plus me voir, j'suis trop ignorante, j'vais encore traîner dans les rues avec Mimi, Minette et Micheline Daumier et avoir peur des morts, la nuit ! »

Ces deux vigoureuses jumelles et leur sœur plus jeune formaient la trinité espiègle et musicale « de l'équipe des allumeuses », dans les Mireillettes. Toujours vêtues d'une jupe similaire, d'un bas de laine qui s'arrêtait à leur genou athlétique, elles chantaient toute la journée, et pour mieux distinguer parmi ces trois têtes aux cheveux tressés, ces expressions des visages complices, la cheftaine Berthe demandait :

— C'est vous, le contralto ?

— Non, moi j'suis le ténor.

— Vous avez glissé une couleuvre sous l'oreiller de votre chef d'équipe ?

— C'est pas moi, c'est Mimi.

— Mimi m'a dit que c'était Minette. Et Minette, c'est vous !

— Moi, j'suis Micheline.

— Pour être juste, je vous punirai toutes les trois ! Pas de fanion d'honneur cette semaine !

Lorsqu'elles chantaient à l'église, Minette se balançait sur une jambe puis sur l'autre près de l'orgue. Mimi la poussait du coude :

— T'as des vers, branleuse ?

— Sanc-tus, Sanc-tus... chantait Minette...

Et sa voix perçait nos oreilles comme les cris d'un animal torturé... Elles vendaient des calendriers en se disputant sans cesse, mais quand elles passaient devant la maison d'un mort, elles faisaient le signe de la croix, et comme nous avions fait tant de fois, Séraphine et moi, elles s'approchaient peureusement de la famille en deuil (laquelle traînait comme une chaîne noire sur la galerie, les uns priant à genoux contre la porte, les autres n'osant pas se lever, lourds d'alcool et de cette noirceur de la mort et de leurs vêtements dont ils semblaient accablés, non plus à genoux, mais accroupis dans les ténèbres comme pour vomir sous le souffle de la pourriture qui passait sur eux) et là, immobiles près des autres, elles cherchaient à pénétrer le mystère de la mort, si près, de l'autre côté de la porte, et leurs yeux erraient sous leur front large et buté. Un peu plus loin, sur le chemin du retour, on rencontrait une femme borgne et laide traînant derrière elle, tout en le secouant par l'oreille, laquelle était toute gonflée et rouge (cette oreille qui était encore l'oreille de Jean dans mes rêves), son fils de dix ans. Comme elle méprisait l'œil étranger qui se fixait sur l'intimité de cette scène, sur l'intimité de son taudis, au coin de cette ruelle, ce mépris, c'était la haine de la mortification qu'elle éprouvait devant nous ! Mais j'étais sans doute trop coupable moi-même pour juger cette femme. « T'as beaucoup de paille dans ton œil, disait mon père, si on faisait une montagne avec tes péchés, on pourrait monter pas mal haut dans le ciel ! »

Il évoquait ensuite le passé de ces erreurs d'un air de gravité têtue :

— Y a eu le jour où t'as laissé tomber Jeannot dans la cave, ta mère t'avait dit de le surveiller mais comme d'habitude, tu rêvassais, tu faisais des écrivaillures au coin de la table... Ta grand-mère, même si elle avait de la cervelle et de la vigueur, et tant de vertus chrétiennes, c'était pas une toquée comme toi, elle ! Et Jeannot, tu te rappelles, il avait une si grosse bosse sur le crâne que même en mettant de la glace dessus, ça grossissait encore... Y a eu le jour où t'as oublié ta p'tite sœur dans son bain et elle a grelotté dans l'eau refroidie et attrapé de la fièvre ! Et pis, y a eu la fois où toié et tes voyous d'amis vous avez brisé la vitre des pompiers, pas même l'ombre d'une flamme dans tout l'quartier et ils nous sont tous arrivés en hurlant sur leurs machines de guerre, t'avais eu une bonne rude fessée mais j'aurais donc dû t'en donner deux en même temps... Tu peux pas être bonne, on sait ça, c'est parce que t'es née le jour de la tempête du jour de l'An et si on a pas tous péri c'tte nuit-là, c'est parce que l'bon Dieu nous tenait par un cheveu... Nous autres, on en voyait des tempêtes, tu penses, dans notre temps ! Des fois, elles avaient quinze pieds de hauteur de neige, on pouvait pas même pousser la porte d'la cabane, l'vent hurlait à vous emporter comme un corbeau gelé ! Mais ta grand-mère, pendant l'temps de la malédiction, elle chantait des cantiques à la Vierge Marie, et ces plaintes-là à côté du gros vent épais, tu peux pas savoir comme ça montait droit des entrailles! Quand l'été arrivait, c'était pas drôle mais on gémissait pas comme vous autres, les mauvais jeunes, on était enveloppé de notre crasse comme d'un manteau, les pommes de terre avaient l'air tordues par la chaleur, on mangeait presque rien, mais ta grand-mère paternelle, elle nous remplissait donc de reconnaissance, de piété et d'amour, juste à regarder sa vieille face brûlée par le soleil, ouais c'est vrai comme j'te parle tout ce que j'te raconte là! On faisait pas des péchés à longueur de journée, nous autres, on avait pas l'temps, si j'avais pas surveillé mon p'tit frère, moié, si y était tombé tout vert dans la cave, ta grand-mère m'aurait donc fouetté les pattes avec des branches d'épinette...

Le récit de mes fautes éveillait toujours en moi le souvenir de fautes plus graves qui me faisaient rougir. Mon père « était plus catholique que saint Joseph » disait ma mère (et cette vertu semblait la décevoir un peu) mais il ignorait que chacun de nous pouvait être coupable aussi dans son silence, ou sa

complicité... **Ces crimes de la complicité,**
nul ne songeait à les condamner pourtant,
aucune loi ne les jugeait...

« Une compassion violente et empoison-
née, voilà tout ce que m'inspire cet homme »,
pensait Germaine Léonard, assise à son bureau, le corps secoué par un tressaillement
involontaire (car Benjamin Robert lui inspi-
rait toujours le même dégoût) pendant que
le prêtre jouait nerveusement avec son béret
noir, du bout des doigts, son regard triste
errant au plafond ; il y avait sur son visage
une expression humble et docile mais Germaine Léonard n'y voyait que de l'orgueil,
« une vanité stupide, se répétait-elle en sou-
pirant d'impatience, je dois absolument chasser ce fou de l'hôpital, quel mendiant de pitié,
alors ! »

—Etes-vous donc si avare de pitié ? disait Benjamin Robert debout devant elle, le
destin de ce jeune homme ne vous émeut
donc pas ? Vous avez pourtant pitié de vos
autres malades...

—Votre ami est un criminel, dit Germaine Léonard. Quand on a tué un autre

homme, on doit bien avoir la force de souffrir et de mourir en silence, n'est-ce pas ? Je
n'ai pas le temps d'avoir pitié de lui, nous
avons ici chaque jour des enfants innocents
qui meurent, et de toute façon, je méprise
votre pitié...

— Alors, dites simplement que cela vous
réjouit de voir souffrir un condamné ! Nous
ne l'avons pas pendu, par compassion, il est
vrai, mais maintenant, il nous semble juste
de l'abandonner à cette expiation de ses crimes ! Je ne vous comprends pas, docteur !
Nous pourrions le guérir, croyez-moi, de ce
cancer qui le ronge, j'en ai la certitude, car
il y a une malédiction plus douloureuse qui
pèse sur lui, c'est le remords ! Il se brûle à
la flamme de son propre repentir...

— C'est bien naturel, dans ces circons-
tances... Tous les meurtriers éprouvent des
remords...

— Si nous le laissons mourir ainsi, se
suicider ainsi sous nos yeux, ne sommes-nous
pas des meurtriers nous aussi ?

— Ah ! quelle exagération folle ! quelle histoire malsaine, répugnante, je ne veux pas être témoin de cette histoire, moi !

— De quoi parlez-vous ? Vous êtes déjà témoin. Nous le sommes tous. Je vous ai amené ce grand malade moral pour m'aider à sauver son corps ; dans son désespoir, en prison, ce garçon a désiré mourir et la maladie est venue vers lui comme une femme charitable et maintenant il se jette dans ses bras, la mort l'attire plus que la vie, il a commis trop de fautes, il est indigne de vivre, croit-il, telle est la maladie intérieure qui risque de l'emporter.

— Médicalement, il est incurable, dit Germaine Léonard d'une voix indifférente qui fit frémir le prêtre, et pourquoi voulez-vous le sauver ? Pour vous-même sans doute...

— Je vois que vous me jugez indigne de souffrir pour un autre, et vous avez peut-être raison. Mais peu importe, je ne suis qu'un instrument de vie, je vous l'ai déjà dit, mais vous écoutiez distraitement. Peut-être est-ce en vain que je frappe la sécheresse de

166

votre âme, l'univers d'autrui est souvent inaccessible pour moi et j'ai l'impression d'être très maladroit avec vous...

— Que voulez-vous dire au juste ? Je n'ai pas beaucoup le temps de vous écouter, vous savez...

— Je partirai dans quelques instants. Philippe aura peut-être le courage de résister à la mort, le bonheur de survivre ! Mais auprès des autres malades, il peut aussi succomber à la souffrance, ne se réconcilier avec ses frères humains qu'au seuil de l'agonie... J'avais fait un rêve en prison au sujet de ce détenu qui ne ressemblait pas aux autres : oui, dans ce rêve, le bien avait triomphé du mal, mais ce n'était qu'un rêve, et le bien ou le mal, c'est autre chose maintenant pour moi... C'est la vie et ses souffrances, et le mal, c'est notre injustice devant la vie ! Je me tais. J'ai déjà trop parlé. Je pars !

Il avait mis son béret, il marchait déjà vers la porte, mais il se retourna brusquement et dit à Germaine Léonard d'un air triomphant :

—Philippe ne mourra pas ! La fausse justice sera punie ! Puis il disparut.

Dans une salle commune, pendant ce temps, Philippe écoutait les plaintes d'un vieux compagnon mourant près de lui et il se demandait (en cachant parfois sa tête sous l'oreiller, pour ne plus l'entendre gémir) si lui, Philippe, « était au monde pour tuer, vivre ou expier ! » Son agonie serait semblable à celle de son compagnon, peut-être, la même douleur, le délire mental, puis viendrait le repos, l'oubli de tant de fatigues, de tant d'erreurs !

—Vous souffrez ? demandait une infirmière à son compagnon malade.

—Non. Non. Tout va bien, tout va mieux... répondit le malheureux en pleurant.

«C'est bien, pensait Philippe, il faut leur cacher à tous notre peur, et notre souffrance ! Avoir même la force de cacher que l'on meurt... C'est ça ! »

Mais un nouveau cri s'échappait déjà de la gorge du mourant :

— Je voudrais être déjà mort ! Je voudrais être déjà mort !

Les infirmières qui veillaient le malade s'approchèrent de son lit :

— Allons, allons, dit la plus jeune, il faut dormir.

— Un peu de silence.

Philippe observa qu'elles souriaient, ce sourire imperceptible errait sur leurs lèvres comme une pensée moqueuse, ce n'était que le sourire de l'égoïsme, peut-être, le goût de vivre qui passait avidement sur ces visages fatigués par de longues veilles, mais Philippe éprouva soudain une telle pitié pour son compagnon qu'il voulut se lever « et frapper ces deux femmes, humilier en elles un amour de la vie dont elles étaient trop satisfaites devant la mort... » Il se répétait en même temps : « Tout est perdu, ma propre violence se venge contre moi, elle pénètre mon corps et mes veines... Je ne peux pas me lever, je suis trop faible... Dommage ! Dommage ! Pour obtenir de soi le pardon, il faut aller si loin, aller jusqu'à la mort ! »

Mais il ne pouvait pas fermer les yeux et glisser encore vers cette chaleur et cette faiblesse qui l'accueillaient au fond de lui-même : descendre si bas, respirer la pourriture de la mort, c'était trouver une consolation loin du jugement des hommes, peut-être, effacer le sang lourd d'un crime qui le hantait, mais c'était aussi fuir la vie, la lumière automnale et glacée qu'il voyait au loin tomber sur les hommes et les arbres, de ce lit où il souffrait, où il ne désirait plus mourir...

CRITIQUE

COUPURES DE PRESSE

Marie-Claire Blais poursuit son long voyage au bout de notre nuit qu'elle imagine peuplée d'une ''race suppliante d'êtres''. L'auteur d'une infernale *Saison* reprend dans *Vivre! Vivre!* son exploration de notre inconscient collectif. Sinistre univers où des personnages aux corps fragiles ou monstrueux, aux têtes pleines de poux, craignent de ''succomber'' au bonheur et voient dans l'amour une sorte de névrose. (...) Heureusement, ils sont tout de même quelques-uns, dans ce roman, qui veulent vivre! vivre! Au-delà des ''jeux de cruauté et de barbarie'' auxquels nous a habitués Marie-Claire Blais, apparaît une lueur d'espoir que d'ailleurs le titre souligne. Outre Julien Laforêt qui affirme son goût de vivre, il y a cette Michelle Bellemort, miraculeusement guérie, qui regarde obstinément par la fenêtre. Pauline Archange a déjà enjambé la sienne; elle est déjà loin de sa chambre qui était ''le lieu du désir des choses''. Au fait, ce ''vivre! vivre!'' est-il un cri de désespoir ou de délivrance? La suite des manuscrits nous le dira sans doute.

André BERTHIAUME
Études françaises, novembre 1970

Marie-Claire Blais nous a habitués à une architecture capricieuse mêlant sans vergogne les souvenirs lointains et récents d'événements transfigurés par l'ondulation onirique. Il ne faut donc chercher ici ni logique ni ordre chronologique. Il serait vain, en effet, de s'interroger sur l'apparent illogisme qui, pour Pauline, consiste à déménager tout en ne quittant pas ses co-paroissiens Julien Laforêt, Germaine Léonard, Romaine Petit-Page, Louisette Denis et les autres…

Yvan LEPAGE
Livres et auteurs québécois 1969

ÉTUDES

Pierre CHATILLON, ''Marie-Claire Blais telle qu'en elle-même'', dans *Livres et auteurs canadiens 1968,* Montréal, Jumonville, 1969, p. 241-245.

Réal GIRARD, ''Marie-Claire Blais écrivain: les apparences de l'écriture'', dans *Livres et auteurs québécois 1972,* Montréal, Jumonville, 1973, p. 363-374.

Gilles MARCOTTE, *Le Roman à l'imparfait,* Montréal, La Presse, 1976, collection ''Échanges'', p. 93-137

Donald SMITH, ''Entretien avec Marie-Claire Blais'', dans *Lettres québécoises,* Ottawa, n° 16, hiver 1979-1980, p. 51-58.

Philip STRATFORD, *Marie-Claire Blais,* Toronto, Forum, 1971, collection ''Canadian Writers & Their Works''

OEUVRES DE MARIE-CLAIRE BLAIS

ROMANS

La belle bête
Montréal, 1959; Paris, 1960; Montréal, 1968
Traductions anglaise et espagnole
Adaptation pour le ballet en 1977

Tête blanche
Montréal, 1960, 1969, 1977
Traduction anglaise

Le jour est noir
Montréal, 1962; Paris, 1971
Traduction anglaise
Collection ''Québec 10/10'' n° 12

Une saison dans la vie d'Emmanuel
Montréal, 1965; Paris, 1966
Édition de grand luxe, Montréal, 1968
Traductions anglaise, allemande, norvégienne,
danoise, polonaise, serbo-croate, espagnole,
néerlandaise, italienne, japonaise, finlandaise,
hongroise, tchèque
Adaptation pour le cinéma, 1973
Prix Médicis 1966, prix France-Québec 1966
Collection ''Québec 10/10'' n° 18

L'insoumise
Montréal, 1966; Paris, 1971
Traduction anglaise
Collection "Québec 10/10" n° 12

David Sterne
Montréal, 1967
Traduction anglaise

Manuscrits de Pauline Archange
Montréal, 1968; Paris, 1968
Traductions anglaise et tchèque
Prix du Gouverneur général du Canada 1968
Collection "Québec 10/10" n° 27

Vivre! Vivre!
Montréal, 1969
Traduction anglaise
Collection "Québec 10/10" n° 28

Les apparences
Montréal, 1970
Traduction anglaise
Collection "Québec 10/10" n° 29

Le loup
Montréal, 1972; Paris, 1972
Traduction anglaise
Collection "Québec 10/10" n° 23

Un Joualonais sa Joualonie
Montréal, 1973; Paris, 1977
Traduction anglaise
Collection "Québec 10/10" n° 15

Une liaison parisienne
Montréal, 1976, 1980; Paris, 1976
Traduction anglaise

Les nuits de l'underground
Montréal, 1978
Traduction anglaise

Le sourd dans la ville
Montréal, 1979; Paris, 1980
Prix du Gouverneur général du Canada 1979

THÉÂTRE

L'exécution
pièce en deux actes créée à Montréal en 1968
publiée à Montréal, 1968
Traduction anglaise

Fièvres
pièce radiophonique diffusée à Radio-Canada
en 1973
publiée à Montréal, 1974

L'océan et *Murmures*
pièces diffusées à Montréal en 1976 et 1977
publiées à Montréal, 1977
Traduction anglaise

La nef des sorcières (Marcelle)
pièce écrite en collaboration
créée à Montréal en 1976
publiée à Montréal, 1976

RÉCIT

Les voyageurs sacrés
Montréal, 1962, 1966
Traduction anglaise

POÉSIE

Pays voilés
Québec, 1964; Montréal, 1967

Existences
Québec, 1964; Montréal, 1967

TABLE

Désirez-vous être tenu régulièrement au courant de nos publications ?
Il vous suffit de faire parvenir votre nom et votre adresser aux :

Éditions internationales Alain Stanké
« Service d'information des lecteurs »
2100, rue Guy
Montréal, Québec
H3H 2M8
Canada

71 rue du Cherche-Midi
75006 PARIS
FRANCE

Nous vous enverrons sans aucun engagement de votre part toutes les informations concernant les nouvelles parutions.

Achevé d'imprimer
en février mil neuf cent quatre-vingt-un
sur les presses de l'Imprimerie Gagné Ltée
Louiseville - Montréal.
Imprimé au Canada